大橋禅太郎

新版 すごい会議

短期間で会社が劇的に変わる!

大和書房

はじめに

これから紹介する「すごい会議」は、僕がシリコンバレーで『ガズーバ』という会社を起業したときに出合ったものです。

我々に投資をしてくれていた、ＹＡＨＯＯの初代マーケティング担当副社長のランディ・ヘイキン氏が、

「〝マネジメントコーチ〟なるサービスを買ってみたらどうだ？」

と、ある日僕たちに言ってきました。

最初は半信半疑でやっていましたが、当時一六人だった会社が、半年で六〇人の会社に成長したのを目の当たりにして、最初は一番抵抗していた僕が、この方法のパワーに惚れました。

二〇〇一年にガズーバを売却することができ、しばらく自由人をやるチャンスに恵まれました。求められるままに日本各地を講演してまわり、自分が体験したマネジメントコーチの話をしました。たいていが経営者の方々を相手にお話しするのですが、そのたびに、「このやり方を教えてほしい」という要望が出ました。

そこで、僕のコーチであったハワード・ゴールドマンを日本に招き、日本でマネジメントコーチのサービスを開始しました。この方法で、成功している会社が、それまで以上に成功するのをこの三年

で体験することができました。

日本でサービスを開始するにあたり、海のものとも山のものともわからないこのサービスの可能性を感じ、導入してくださった経営者の方々のおかげで、いまではこうして、自分がマネジメントコーチとして、皆さんがさらに成功することのお手伝いができることを光栄に感じています。

本書は僕が大学を卒業して石油探査の会社に就職したところから書き始めます。

皆さんが僕のラフな文章にめげずに、この本のエッセンスを感じ、ビジネスの現場で活用していただければ、この上ない幸せです。

大橋禅太郎

目次

考えても答えは出ない――。
そんな状況がみるみる変わっていった「すごい会議」のやり方。

第1章 展望と挫折、そして困惑

石油の探査エンジニア時代

大学を卒業して数年後、僕はブルネイ王国で石油の探査エンジニアになるためのトレーニングを受けていた。

その会社は、新卒でも手取り一〇〇〇万円ぐらい払っている会社で、社長の給料は三億円といった「やる気」のあるやつにとってはあこがれの的《まと》の会社だった。

世界中から優秀な人材を集めるために、採用枠は全世界で二〇〇人。国別に、前年の売上比率によって、その二〇〇人の枠をあてていく。日本からは、その年、僕を含めた二人が採用された。

全員を集めての入社式というのはなく、一六人ずつのグループに分けられ、僕らはシンガポールのホテルで、厚さ四センチほどある書類群に次々とサインさせられた。

途中、インド人のサンディープが、人事担当者にあれこれ内容の意味の確認をしながらサインをしているのを見て、横に座っていたベネズエラ人のセルジオが小声で僕に言った。

「『命あずけます』と書いてあったとしても、ここまで来たらサインするしかないんだからカッコつけんじゃねーよ」

たしかに、まあそれに近い状況だった。

もろもろの手続きの最後に、人事担当者は厳《おごそ》かに宣言した。

「これで君たちのファイルができた。

あともう一つ、我々人事部には大切な仕事がある。それは次の世代の社長候補を見つけ、将来社長になるためのトレーニングをすることだ。

君たちのファイルには、『退職するときにどの職位まで行っているか』という予想欄がある。

『平社員』と書かれるやつもいるし、一年にほんの数名『社長』と書かれるやつもいる。

いまはその欄は空欄だが、三年以内に何かが書き込まれる」

全世界から「やる気」のあるやつを集めているわけだから、一六人とも多かれ少なかれ「あ

〜、それオレのことね（将来の社長）」という感じだった。

もちろん僕だって、その例外ではなかった。

「どうしていいのかわからない」

翌日から、一四週間の集中トレーニングが始まる。一六人のうち四割ぐらいが辞職かクビになる。したがって、一六人はクラスメートであり、ライバルなのだ。

まずシンガポールで一週間、海軍消防隊で基礎訓練を受けたり、人工蘇生《そせい》の訓練をした後、ブルネイ王国にあるトレーニングセンターに入所した。

所長は、クワジというエチオピア出身の怒りっぽい背の高い黒人で、そこはまさに映画に出てくる新兵の訓練施設という感じだった。

僕らはセンターから車で一五分のところにある寮に入れられた。

夕方になって外も暗くなってきた。

「夕飯はどうなってるんだろう？」

と僕は疑問に思っていたのだが、何のアクションも起こらない。

周りの連中も同じように、「誰かが飯をつくってくれるだろう」と思っていたらしく、誰もアクションを起こさない。

実はこれもトレーニングのうちで、レストランなどないジャングルに一人で放り出されてもなんとかできるようになるための、心温まるセンター側の配慮なのだった。

若い僕らは空腹に耐えきれず、誰ともなしに、とりあえず明日からのこともあるし、スーパーに買い物にいって、今晩はバーベキューでもやろうということになった。

一六人でぞろぞろスーパーの売り場に行き、ソーセージをカートに入れようとすると、

「ヒンズー教なので、牛肉は食べられない」

とインド人が言う。

だったら、それだけ食べなければいいじゃないかと思ったが、「牛肉を焼いたグリルでは他のものも食べられない」のだそうだ。

仕方なく牛肉のソーセージを戻して、豚肉のソーセージを手にすると、

「イスラム教なので、豚肉は食べられない」

と今度はインドネシア人が言う。

仕方ない。チキンのソーセージをカートに入れようとすると、

「チキンのソーセージではバーベキューはできない」

と今度はアメリカ人が言う。

初対面の男一六人が集まって共同生活を始めようとしているので、「ここのボスは誰か？」という、隠れている問題もあり、なかなか解決しない。

結局、全員が合意できそうなのはインスタントラーメン（牛、豚エキスを使用していないもの）、卵、オレンジジュースぐらいで、これを大量に買い込んで寮に戻った。

来る日も来る日も、インスタントラーメンとオレンジジュースの食事。

トレーニングセンターでの座学（週にテキストを二冊こなし、翌週の月曜日にテストをして平均六〇点を切るとクビ）や、毎日深夜まで及ぶ実習。

週末はセンター内のトレーニング用の油田で、その週に習った探査ツールを実際に使ってデータを収集し、月曜日の朝までに教官に提出する。

こんな生活をしていると、最初の四週間ほどで、今まで粋《いき》がっていたやつが急に「オフクロが急に病気になっちゃってさ」などと言ってポロポロ辞めていった。

もともと地頭は悪くないやつらを採用したので、僕らが試されているのは、プレッシャーと問題山積みの中で、成果を上げられるかどうかだ。

七週間後の中間考査で、僕は八番目の成績だった。

社長になったら三億円の給料と聞いて、ここまで必死にやってきたが、一六人中の八番では二五〇〇人中の一番になるのはとても無理だと思った。

翌週の実習中、まさに赤道直下の真昼の太陽の下、「俺、ここでなにしてるんだろう」と途方にくれてしまった。

社長を目指したが、それは無理っぽい。

地獄のような、このトレーニングセンターでの生活も、社長になるという目標があるからこそ、必死にやってきた。その目標がなくなった今、そこはただの地獄でしかない。

やる気のなさは、傍目《はため》にもよくわかるようで、ある日、鬼軍曹のようなセンター長に呼ばれた。

「俺にタフな意思決定をしてほしいのか？」

つまりは、（クビになりたいの？）ということだ。

冗談じゃない。僕は自分の意思で辞めるならいいが、人にクビにされるのはまっぴらだ。

「ご指摘の成績は翌週には改善されます」と答えて、センター長室を出た。

それから数日後の朝、僕が発電機をスタートする当番だった。

石油の現場では、自分で使う電気はそれぞれ発電機を持っていって発電するので、センターでも同じことをしていた。

漏斗《じょうご》を使って燃料タンクに燃料を入れていると、ポロっと漏斗の先がタンクの中に落ちてしまった。

「あっ……」と思ったが、どうしようもない。

懐中電灯を持ってきてタンクの中を見てみたが、暗くてわからない。

どうやっても取れそうにないが、教官に報告すれば「お前の起こした問題だから、なんとかしろ」と言われるし、もし言わないでおいて万一その漏斗が原因で発電機が止まったりしたら、クビになってもおかしくない。

「どうしていいのかわからない」と頭をかかえたが、ふと、昔もこんな思いをしたことを思い出した。

人生最大のピンチ

僕の小学校四年生のころの小遣いは、近所の駄菓子屋で満足するほど駄菓子を買ったり、おでんを食べたりするには足りなかった（今でもそうだが）。

そのころ僕の父は、家に帰ってくると小銭入れにあったお金を、コーラの一リットル瓶の蓋を接着して、そこに切れ目を入れたお手製の貯金箱に入れるのを習慣としていた。

つまり僕の欲しい小銭が、透明なボトルの中に山ほどあったのである。

ほどなく僕は、お金を入れる切れ目にプラスティックの定規を半分入れて、ボトルをさかさまにして振ると面白いほどお金が出てくることを知った。なぜかこのテクニックはオフクロに教わったのだった。

この打出《うちで》の小槌《こづち》が機能していたので、駄菓子屋でおでんを好きなだけ食べていた。

ある日、学校から帰って、いつものように、その打出の小槌様に、そっと定規を入れた。すると定規が僕の手から滑り落ちて、ボトルの中に入ってしまった。

透明なボトルにすっぽり入った定規と小銭——絵柄的には、かなりインパクトのある感じになってしまった。

それから数十分、考えつく限りの方法を使って、その定規を救出しようとしたのだが、どうしても出てこない。いや〜な感情が僕の中でどんどん強くなっていく。

両親が帰宅するまであと数時間あるが、有効な打開策が見つからない。

このままでいくと、母親が戻る五時三〇分には、僕は「どろぼう」になってしまう。

「頭は悪いが回転は速い」と称されていた僕の頭脳をフル回転させてどうすべきか考えたが、時間だけが過ぎていった。

結局両親にバレることになるのだが、この両親が帰ってくるまでの数時間は、いまでもとても鮮明に覚えている。

先日辞書で「困惑」という言葉の定義を見たら、「どうしてよいかわからなくてとまどうこと」と書いてあった。そのときの僕がまさにその状態にあった。

あのとき僕は困惑していて、それを「どうしてよいかわからなくて」困っていたのだ。

たとえば、いま同じ状態に置かれたとしたら、いくつかの解決策を思いつくことができる。

1)あきらめて、オフクロに電話等で白状して楽になる。

2)あくまでもシラをきるために貯金箱を割ってしまい、「ごめん、落としてわっちゃった」とウソをつく。

3)そういった修羅場をくぐっていそうな友人にコンサルティングを受ける。

いまの自分なら、このあたりのどれかを選び実行に移すが、当時は「どうしてよいかわからなかった」のである。

展望をもって、「選択」と「覚悟」ができれば、あとはそれを実行に移すだけだ。

僕は漏斗のことを、ベネズエラ人のセルジオに打ち明けた。

新しいビジネス

燃料タンクに漏斗を落としてしまった経緯を僕から聞いたベネズエラ人のセルジオは、僕の目をまっすぐに見て、そして言った。

「心配するな。もう一本入っている」

さすがに昔グレて車泥棒をしていただけのことはある。漏斗の先ぐらいでは動じないのだ。

「オレも、あっと思ったが、教官に言ったところで『取れ』と言われるだけだろ」

――セルジオの特技は、クヨクヨしないところだった。

僕もクヨクヨしていても仕方がない。

漏斗の先など最初からなかったことにして、自分の未来に思いを馳《は》せてみた。

社長が無理なら、ここで種銭を貯めて、自分のビジネスをスタートしてやろう。

僕は決意し、二年で一〇〇〇万円ほどの金を貯めると、ビジネスを始めるために日本に帰国した。

都心から近く、家賃の安い大久保に、机を二つ入れればいっぱいになる小さなオフィスを借りた。

隣りにはヤクザが住んでいて、ときどき「だからパクられたとき、ブツは持ってなかったって言ってるだろ〜」といった感じの声が、薄い壁を通して僕のオフィスにも響いてくる。それでも、僕には、「自分の帝国がここから始まるんだ」という確信があった。

まずは安い元手で始められるようにと、海外の企業に日本の特許情報を英文でサマリーを作って提供するサービスを開始した。

たとえば、当時キヤノンがレーザープリンタの特許をたくさん出していた。その競合相手になりそうな会社の研究所に、「キヤノンがレーザープリンタに関して出した特許申請のうち、今月公開されたもののリストと要約」のサンプルを送ると、注文が取れたりした。

それ以外の僕のメインのお客さんといえば、先進国の東京大使館の科学技術担当の調査官だった。

彼らは、国策上日本より優位に立っておきたい技術分野をいくつか持っていて、競合になりそうな日本の会社で（具体的に彼らが会社名をあげて）、「現在どんなエンジニアを何人採用しているか調べてくれ」といった依頼をしてきた。

彼らには、公開された特許と、現在採用しているエンジニアの種類と数を見れば、大体の想像がつくらしい。もちろん、そんな活動の証拠が残らないように、書面での依頼はいっさいなし。報酬は大使館内で、現金で手渡しが常だった。

ちょっとしたスパイ感覚の気分を味わいながら楽しい毎日ではあったが、問題は毎月一〇〇万円ぐらいの赤字を出し続けていたことだった。

手元には五〇〇万円ぐらいしか残っていなかったから、あと半年もしないうちに会社はアジャパーである。わが帝国の現実は、その期待に反して、思ったより厳しかった。

このときも本当に困った。

漏斗のときと同様、「どうしていいのかわからない」のである。

ある夜、悩みながらぶらぶら新宿の街を歩いているとプリンスホテルがあったので、そこのバーに入ってみた。

普段はしないが、ワイルドターキーのボトルを入れてみた。

そこで、僕は決心する。

「よし、特にコネはないがシリコンバレーなるところにセールスに行ってみよう」

もしこれが駄目だったら、それでアウトだ。

そうと決まれば、グズグズしている暇はない。

データベースのリスト屋に、シリコンバレーの市外局番「４０８」で始まる電話番号で、社長の名前と電話番号がわかっていて、過去五年の売上の伸びが平均二〇%以上の会社――というリストを頼んだら、五万円ほどで一〇〇社ほどのリストが手に入った。

その一〇〇人に、日本が夜になると片っ端から電話をかけ始めた。

すると何人かの社長から、「特許情報には興味はないが、おまえ俺の製品を日本で売らないか?」と持ちかけられる。そこでちょっとひらめいた。

「How to sell your product in Japan.（日本であなたの製品を売るためのセミナー）」を開催して、一人頭三五〇ドルの受講料にすれば、一〇人で、なけなしの出張代はそこから出せるじゃないか！

早速電話で現地のホテルのセミナー室、プロジェクター、コーヒー一〇杯、ドーナッツ一〇個を予約すると、ワープロでチラシをつくって、そのリストの中でＦａｘ番号のわかっている会社に送りまくった。

一〇社送って一社来れば、三五〇ドル×一〇人＝三五〇〇ドル。

これがうまくいけば、毎月シリコンバレーに営業に行ける！

成功への足がかり？

さて、僕がアメリカに行く前日までの申込客は、予想を大きく下回って二人だけだった。

正直一〇人入る部屋で、二人の申込者ではかっこがわるい。中止することも考えたが、それでは会場代も赤字になってしまう。

僕は覚悟を決めて、その二人のためにセミナーを予定どおり実施することにした。

セミナーの参加者は、白人のスーツ姿が一人と、東洋系のポロシャツ男が一人だった。

東洋系の男は、「他の参加者はどこだ？」などと失礼な質問を僕に投げかけてきたが、セミナーが始まると早々に、眠りに入ってしまった。

ときどき携帯電話が鳴ると中国語でなにか指示を出しては、また眠っていた。

四時間のセミナーが終了し、白人のスーツは出て行ったが、東洋系は眠ったままだ。

僕は彼に「終わりましたよ」と声をかけた。

すると、「腹がへった。飯を食いに行こう」と突然言ってきた。

僕は特に予定がなかったので、「飯の勘定は誰が払うんだ？」と思いながらも、彼とホテルのレストランで食事をした。

僕が、ステーキの一口目を口に運ぼうとした瞬間に彼は聞いてきた。

「おまえ、儲かってるか？」

「いえ、儲かってません」

「だろうな」

「…………」

「僕のＰＣを日本で売れ。これは黄金のチャンスだ」

「小売りや流通には興味がありません」

「まあいい、飯が終わったら俺のオフィスに来い」

特にすることがなかったので、彼についていくことにした。

彼のオフィスに行くと、一つの大きなフロアに東洋系の若い女性が四〇名ほど、机を教室形式に並べて、ほぼ全員が電話をかけていた。

彼の席は一番後ろの「番長」の席だった。

彼の後ろには工場があり、メモリーチップを小さなボードに半田付けする高速装置が何台もあるラインが忙しそうに動いていた。

彼は、スタートから七年で年商七〇〇億円ほどのビジネスを達成した、マ・ラボラトリーズ社のエブラハムだった。地元ではちょっとした有名人で、日本のメモリーの業界でも彼と取引をしている人が多い。

「俺のパソコンをとりあえず三台持って帰れ。売れたら、次の三台を買う。これは黄金のチャンスだ」

そう彼に言われた僕は、ＰＣを売ることなどに依然として興味はなかったが、なぜかＹＥＳと言って、その三台を日本に持って帰ることにした。

一九九三年当時の日本は、ＮＥＣの９８シリーズというＰＣがマーケットシェアの多くを占めており、いまで言うところの互換性があるＰＣを使っている人はごく一部だった。

そのためか、アメリカで二〇万円で売られているＰＣが日本では六〇万円ぐらいで売られていた。僕は特にあまり考えずに、仕入れ値の倍の四〇万円の値段を付けた。

売り方もわからないので、セミナーをアメリカに売ったように、Ｆａｘ番号のリストを手に入れて、一〇〇〇件ほどＦａｘを打つと、その三台のＰＣは売れてしまった。

僕はちょっと興奮して、次のオーダーをかけるために、エブラハムに電話をし、あと四台送ってくれと頼んだ。

彼は奥さんとなにか話をしてから、「ＯＫだ、欲しい仕様をＦａｘしておいてくれ」ということになった。

あとで知ったのだが、奥さんと「あの三台のＰＣを彼は一週間で売れるか売れないか」の賭けをしていたそうだ。

「売れる」ほうにかけたエブラハムが勝って、奥さんは、後に食事を一緒にしたときに、「売れるとは思ってなかったわよ〜！」と台湾流の大声と笑顔で祝福してくれた。

当時は仕入れ値の倍の値段でも、「なんでこんなに安いんですか？」とお客さんに言われるぐらいで、すぐに買い手は見つかり、数ヶ月後には月一〇〇〇万円ぐらいの売上があった。

インターネットビジネスの世界

不思議とやけに儲かるようになっていたが、半年もするとこの儲かる市場にライバルが入ってきて、値段的には、僕と、他の二社で、一番の安さを競っていた。

エブラハムは「Kill everyone!（とにかく全員殺せ！）」と電話の向こうで叫んでいた。

一番安い値段で出せるだけの仕入れをしているんだから、一番安い値段で売れるはずだ！と僕に発破をかけてきたが、利幅が大幅に下がった流通ビジネスに対応するマネジメントもしていなければ、そのマーケットに対する十分な熱意もなかった。

そこで日本の会社は閉めて、思い切って、かねがね住みたいと思っていたアメリカへ渡ることにした。二ヶ月ほどはハワイにコンドミニアムを借りてプラプラしていたが、その間にお金はどんどんなくなっていく。幸い東海岸のニュージャージーで半導体の商社をやっていた高井社長が「グリーンカードをスポンサーしてあげる」と言うので、彼の会社で働くことになった。

彼の会社では、半導体の取引や、日本へのＰＣのパーツの売り込みをしていたが、どうもその仕事を好きになれなかった。

そんなとき、ＪＥＴＲＯのＮＹ支局に行くチャンスがあり、前川さんという方が、僕にウェブラウザーなるものを見せてくれた。

「おっ、これがうわさに聞いていたインターネットか！」

村上龍がどこかで「象を初めて見た江戸の人のように」という表現を使っていたが、まさにそれである。

僕も早速、近所のプロバイダーから接続口座を買い、インターネットの世界に接続した。

最初の一週間は面白くて面白くて、寝る間を惜しんでネットを見続けた。

高井社長にブラウザーを見せると、彼も一気にはまってくれ、「インターネットビジネスをやろう！」ということになった。

当時第二回のインターネットワールドがサンノゼで開かれることになった。

僕はその展示会に行こうと思ったのだが、予算がない。困りました。どうしたらいいのかわからない。

ただ、小学四年生のときよりは経験を積んでいたので、悩んでいるだけではどうにもならないことはわかった……そうだ！　僕は、インターネットワールドの取材記事を書いて日本の雑誌に売って出張費用をまかなうというステキなアイデアを思いついた。

そこで、日本語書店で「インターネットマガジン」なる本をみつけ、立ち読みで電話番号を控えて、夜、その番号に電話した。

「え〜、アメリカから電話してます。編集長さんお願いします」

まるっきりの飛び込み営業だが、話はまとまり、記事を書くことになった。

記事なぞ書いたことはなかったが、それしか予算を作る方法はなかったので書くしかなかった。

僕のつたない記事でも、当時アメリカからインターネット関連のことを取材できる日本人は少なかったようで、「アサヒパソコン」「ＹＡＨＯＯ（創刊号）」、「日経ＢＰ」の月刊誌に４つといった具合に、掲載先はすぐに見つかった。

ところが、一つのイベントは一誌にしか売れないので、あまり金にはならない。そんなときに、ワシントンでネットワークドエコノミーカンファレンスという会議が開かれることを知った。

その会議には、ネットスケープの創業者ジム・クラーク、ＦＣＣ長官、ＡＴＴの社長といった具合にデカい参加メンバーが多くいたので、それぞれ別々にインタビューをして、各誌に別々に売るという、アイデアが出てきた。

インタビュー依頼をするとほぼすべての人がＯＫしてくれたので、調子にのった僕は、ＹＡＨＯＯの社長ティム・クーグル、アマゾンのジェフ・ベゾス、そしてマイクロソフトのビル・ゲイツにも取材を申し込み、結果、その全員にインタビューすることができた。

インタビューなんてしたことがなかったが、それでも何とか無事、記事を書き上げた。

それはもちろん貴重な体験であったが、当時、彼らの話を聞いていて特に印象的だったことは、インターネットについて言っていることが人によって、まったく違うことだった。また、人によって、数ヶ月前とまったく違うことを言っているということもあった。

第2章 現状が求める能力が、自分の能力を超えるとき

アンディー・ラスキンとの出会い

インターネット世界への興味がどんどん僕のなかでふくらんでいったが、そのころ半導体の市況が急にさめて、高井社長の会社では、まだ利益を出していない僕のビジネスをサポートするだけの余力がなくなってきた。

社長は僕に、「あのサーバーあげるからさ。独立すれば？」と言ってくれた。

この社長は人によっては「冷酷」と見る人もいたが、僕にとってはこのビジネスを立ち上げ

させてくれた恩人だ。

僕は、当時の顧客リストとサーバーとともに、会社を後にした。

当時、僕が食えないだろうと、社内的には少々無理矢理に仕事をくれた人たちがいる。とても感謝しているが、電通国際情報サービスのＮＹの支店長をしていた小池聡氏も、その一人だ。

シリコンバレーに拠点をつくり、そこからインターネットビジネスを立ち上げようとしていた彼は、「いっしょにやらないか？」と誘ってくれた。

それこそ望むところだった。僕は「ぜひやらせてください」とお願いし、シリコンバレーへ移動することになった。

そこで知り合ったのがアンディー・ラスキンである。

彼はアイビーリーグの名門ウォートンでＭＢＡを取り、その後経営コンサルタントをやっていたエリートだが、僕と同じ年で、思考も似ていたので、自然と話すことが多くなった。

その当時、ＩＣＱというチャットのソフトの会社が三〇〇億円で、ホットメールというウェブメールの会社が四〇〇億円で、大会社に買収されたという記事が話題になっていた。

両者とも、大きな宣伝費をかけずに、一〇〇万人単位のユーザーを作り出したことが高い買収額の理由とされていた。

僕も彼も、そんなことができるなら、そろそろ僕らも一山当ててやろうという気持ちでいっぱいだった。毎日のように、新しいビジネスについて話を交わした。

ある日、アンディーが、

「（チャットの）ＩＣＱの一番重要な機能はなんだと思う？」

と聞いてきた。

「メッセージを送ることだろう」

「いや違う。『友人にすすめる』というボタンだよ」

チャットのＩＣＱには友人もその無料ソフトを持っていないとチャットができないので、「友人にすすめる」というボタンがあり、そこに友人のメルアドを入力すると、その友人にソフトがダウンロードできるＵＲＬと案内のメールが届くという仕掛けなのだ。

「『ホットメール』も基本的に同じだ。『その製品を使うことが、その製品を友人にすすめることになっている』――これが彼らの成功の秘訣だ」

まったくそのとおりだと思った。

それなら、僕らもそれをやってみようということになった。

当時買収される企業は、１ユーザーあたり二〇ドル～四〇ドルという値段がつけられていたから、一〇〇万人のユーザーがいれば、二〇〇億から四〇〇億で買収される。

１ユーザー二〇ドル～四〇ドルを大きく下回るコストで手に入れることができれば、その会社を大手企業に売却して得られる儲けはさらに大きい。

僕らは、「マイルネット」という小さなソフトウェアをつくった。これはＰＣのデスクトップに横四センチ縦三センチぐらいのウィンドウを表示し、その中に、

・小さな宣伝スペース
・宣伝を見れば見るほど上がっていくカウンター
・「友人にすすめる」ボタン
・自分のすすめた友人がどれだけ多いかを示す「木」のようなアイコン

があった。

宣伝スペースには企業の宣伝を表示し、その宣伝の売上が僕らに入る。ユーザーにはその売上の１／10をカウンターの数字としてあげる。その数字は航空会社のマイルと交換できる。ただ見てるだけでは一日に二マイルぐらいしか貯まらないが、「友人にすすめる」ボタンで友人にすすめて、その友人がこのシステムを使い出すと、カウンターのスピードが二倍になる。もちろんその友人が別の友人にすすめて使い出すと、元の会員のカウンターは三倍で動くといったぐあいで、「アムウェイ」のようなしくみをつくったのである。

三ヶ月ほどで開発を終え、リリースすることになるのだが、エクセルで予想してみると、どう悪くても三ヶ月後にはユーザーが一〇〇万人近くになり、億万長者になるという算段がたっ

た。

さて、リリースして五日目、僕たちのサイトがヤフーニュースで紹介されると、それからは毎分ユーザーの数が増えていった。

頭のいい人たちは、とにかく自分の友達に（他の友達からすすめられる前に）、「友人にすすめる」をやるので、マサチューセッツ工科大学では一気に学内に広まった。

同じようにサーチエンジンのエキサイトの社内でも爆発的に広がり、それは彼らの上級経営陣の知ることとなった。

夢の買収計画

サイトをリリースして三週間、エキサイトの上級副社長から「ミーティングをしよう」という電話があった。

早速、僕とアンディー、そして数週間前に入ったばかりのシャンティの全社員三名でミーティングに向かった。

ミーティングの冒頭、先方の上級副社長のブレッドは、ホワイトボードに

「買収、敵対、下請」

の三つの単語を書いた。

「この会議の議題は、この三つの中のどれかから選んでくれ」

と彼は言う。

車の中で「おいおい、買収の話か〜」と冗談では言っていたが、まさかこんなに早く買収の話が出るとは思っていなかった。

「買収の話をするのが一番いいと思う」と僕らは考え、二時間ほど彼らのチームと話をした。

ミーティングが終わるとブレッドは、率直に切り出した。

「で、いくら欲しいんだ？」

売却値段など決めていない。どうしよう……。

「七五〇万ドルの評価額は得られると信じている」

自分の口が勝手に喋る。

「三人が数ヶ月でやった会社は、よくして数億円だ。もし七五〇万ドル提示できなかったら何も提示しないほうがいいか？」

と彼は聞いてきた。

僕は、一瞬迷いそうになったが、

「そうですね、お互い時間の無駄はよしましょう」

とかましてやった。

僕らはこんなに早く買収の提案がきたことに小躍《こおど》りしたかったが、あくまでもクールにオフィスを後にし、車に乗り込んだ。

ドアをしめたとたんに三人の顔に「ニタ～」という感じの笑顔が出てきた。

シャンティは僕のマネをして、わざと深い声で「そうですね、お互い時間の無駄はよしましょう」と言ってははしゃいでいた。

一週間後、彼らから買収の意思と条件を伝えるタームシートというものが届いた。

それは、

・買収金額は六五〇万ドル
・アンディーはニューヨークからシリコンバレーに引っ越す
・別途ゼンとアンディーには二〇〇万ドル相当の成果ベースのボーナス
・シャンティはクビ
・未払い金は一〇万ドルまでＯＫ

という内容だった。

この条件で、一番喜んだのはシャンティである。

会社の都合でクビになるということは、彼の持っていた我社マイルネットの自社株を安価で買う権利が自動的に買収先のエキサイトの株になり、そのまま、がっつり市場で売って一億円以上のゲンナマを手に入れることができる（それも入社数週間で！）。

逆に僕とアンディーは、四年エキサイトに勤めないと株を全額売ることができない。

四年勤めて、また市場が右上がりという前提なら悪くないが、飽きやすい僕らが、彼らの経営方針の下に四年やるというのは、正直ちょっときつい話だった。

おいしすぎる条件のシャンティに、

「おいシャンティ、おまえが三〇〇〇万円俺に払ってくれたら、この契約書にサインしてもいいぞ」

と言ってやったが、彼からは、笑顔しかかえってこなかった。

さて、こうして僕らの会社は売却されることになった。

最後の条件をのらりくらりと弁護士事務所を使ってつめながら、話を進めていたのだが、ある日から急にエキサイトからの連絡が来なくなった。

「じらし作戦か?」と思っていたのだが、それから一〇日ほどたって、「アットホーム社、エキサイトを買収」というニュースが入ってきた。

その日の昼、エキサイトの担当者から電話がかかってきて、

「そういうことなので、買収の話はなかったということで、ではグッドラック」

…………。

おいおい、買収をあてにして、資金繰りなどたてていなかった。銀行にはあと数万ドルの預金しかない。しかも数週間以内に下請けのソフト開発会社へ一万ドルほどの支払いが予定されていた。

アンディーと相談して、シャンティを会議室に呼んだ。

「これから給料払えないよ」

結局この無給状態は三ヶ月続くことになる。

フローズンマティーニとチップス

当時僕の娘は三歳で、朝オフィスに行く時間になると「テレタビーズ」というイギリスBBCで作られた、四人のぬいぐるみを被ったキャラクターが出てくる番組がやっていた。彼女はそれが好きだった。

この娘に迷惑をかけたくないと思いながらも、でも、どうしようもなかった。いまでも「テレタビーズ」をテレビの再放送などで見ると、胸がちょっとキュンと来る。

ほとんど貯金をしない僕が、生活費をどうしていたかというと、たまたま三〇万円ほどで買ったＹＡＨＯＯの株が当時一五〇万ぐらいになっていたので、半分売って、その月の生活費にした。

翌月は半分になった七五万円が、また一五〇万円ぐらいになったので、またそれを売るといった具合。親父の貯金箱ではないが、打出の小槌状態ではあったが、この打出の小槌はいずれは止まる」とわかっていたので時間との勝負だった。

とにかく、投資家から金を集めて、ビジネスを継続しなければ……。

投資家にかったっぱしからコンタクトをし、アポを取り、プレゼンをした。

投資家が集まるパーティがあると聞けば、蛍光色のフリースを来て、三人でなけなしの金でパー券を買い、プレゼンさせてくれと頼んだ。

当時アポがないときは、昼飯は近くのメキシコ料理のチェーン店に行き、フローズンマティーニと無料のつまみであるトウモロコシのチップスを頼む。

そのフローズンマティーニをちびちびやりながら、チップスを食べまくる（五回ぐらいおかわりをする）。

そのチップスには、サルサというアボカドやトマトが入ったソースがついてくるので、五ドルほどで、満腹感、栄養、そしてほんのすこしの酔いを手に入れた。

そんな生活ではあったが、外では真っ青な空が広がっているせいか、なんか楽しいのである。

この真っ青な空はシリコンバレーの重要なインフラの一つだと思う。

結局、一九九九年四月にレッドロックベンチャー、ケイナンパートナーズ、アイマインズの三社合同で一五〇万ドルの出資を受けることになった。

さて、その投資条件だが、

・一五〇万ドルの出資を受け、株の三五％を投資家に発行する

・ＣＥＯはアンディーとする

という内容だった。ゼンの英語はＣＥＯとして「イケてない」というのである。

それまでインターナショナルな会社で鍛えられ、英語には自信を持っていた僕にとっては納得のいかないことだった。しかし、テーブルの上にあるディールは、これがベストだった。

僕はＣＥＯの座を降り、技術担当のＣＴＯ（チーフ・テクノロジーオフィサー）となった。

「ガズーバ」の立ち上げ

アメリカの投資家から投資を受けると、いろいろなところから注目される。

将来上場したり、高値で買収される可能性があるから、投資家は投資する。

その将来高くなる株を目当てに、「俺にも投資させてくれ」という人たちがたくさん出てく

る。

投資を受けるのに弁護士費用が二万ドルほどかかるのだが、大手弁護士事務所が「出世払いで結構です！（そのかわり株を少々発行してください）」となる。

リース会社も、「一五〇万ドルの投資を受けたのであれば、別途リース枠一〇〇万ドルを設定しましょう」と言ってくる。そのうちの三〇％は「ソフトリース」つまり担保にならないものや消耗品でもOKといった具合である。

一挙に使えるお金や、使えるプロフェッショナルの幅が広がるのである。

投資を受けてからすぐに行ったことの一つに、会社のネーミングがある。これもプロを雇ってネーミングの司会をしてもらう。

彼女は、名前が決まっても決まらなくても、司会料として四～五回のミーティングに二万ドルも請求するかたちのコンサルタントなのだ。

投資家も入って七人ほどで、二〇〇〇個ほどあった会社の名前の候補から三〇個ほどに絞っていった。

「スマートネット」とか、「ネット・バイン（ツタ）」……。

なんとなく意味はわかるが、面白くない。

その中で、僕は「ガズーバ」という名前に一票入れた。

ネーミングというクリエイティブなプロセスを合議制でやることに疑問を感じていた僕は、一人だけ違和感を発していたと思う。

票を入れた理由を述べる順番が僕にまわってきた。

「他のへんな名前の会社に入った男と結婚したと知ったら、義理の父が怒るから」と言うと、投資家の一人はちょっと怒った感じで、「ビジネスとの関係は？」と聞いてきた。

僕は、続けて言った。

「スーツを着て会社に行きたいならスマートな名前がいいと思う。

でもアテンション（注目）が欲しいなら、ガズーバだ！」

すると場の雰囲気は一変して、「Gazooba this! Gazooba that!」とか「彼女のオッパイかなりガズーバだよね」といった言葉がみんなの口から出てきた。

「ガズーバ！」

これしかないと僕は確信した。

「ガズーバ」という言葉を口にすると、まず「ガ」という音は腹でひびく、次の「ズー」は口の中でひびき、最後の「バ」は口の外に出ていく。

たまたま選んだ名前だったが、発音すると、叫んで気持ちいい音だった。

もちろん電話の受付は「ハロー」ではなく、「ガズーバ」と言って出るし、ミーティングの最後は「ガズーバ・クライ（ガズーバの叫び）」と言って、みんなで「ガズーバ！」と叫んでしめていた。

僕らは、マイルネットを原型にして、新サービスを立ち上げることにした。

この新サービスを使うことによって、自分のところにユーザーが欲しい会社が、他のマーケティング手段より格段と安くユーザーを集められるというしくみだった。

新サービスのデザインを投資家を含めた取締役会でプレゼンをした。

彼らもアイデアを言ってくる。

いいものは取り入れ、僕らの考えと違うところはきちんと主張した。

前に出したマイルネットが当たっているだけに、意見の違いがあると投資家たちは、「ゼンとアンディーがそう言うならそうしよう」と言ってくれた。

このころ、アンディーの元同僚のジェニファーがマーケティング担当役員として入社した。

僕の担当である開発部も僕一人でやっていたのが、六人のメンバーになった。

採用にあたって面接を行ったが、そのなかのキムは、韓国の大手企業を辞めて、シリコンバレーで一旗揚げてやろうと、家族を連れてやってきていた。

僕はキムのなんとなく頼りのなさそうな感じが気になったので、早々に面接を切り上げようとした。

「では結果はエージェントの方に一週間以内にお伝えします」

そう告げると彼は、僕より最低五倍はひどい英語で、「いや、俺を雇ってくれ」と言った。まだ雇わないとは言っていないのだが、雰囲気を読むのは上手なようだ。

僕が無言でいると、

「とにかく一週間ここで使ってみてくれ。使えなかったら一週間の給料はいらないし、採用しなくていい。オレはプログラムをきちっと速く組める」

と彼は主張した。

僕は正直乗り気ではなかったが、その熱意に負けるかたちで、彼をテスト採用することにした。

もちろん彼は約束どおりの成果を出した。開発の初期に、確かにスピードのある彼がいたことはとても大きかった。

これは一つの例にすぎないが、こんなことは日常茶飯事だった。つまり、相手に熱意を持って売り込む。判断するのに一〇〇%正しい客観的基準などないのだから、相手にどれだけ「伝わるか」が大きな差を生む。

彼のように、崖っぷちで、あとのないやつは強い。当時のシリコンバレーには、そんなヤツらがわんさかいた。

この会社をどうしたいのか

投資を受けてから六ヶ月ほどして新サービスサイトを立ち上げたのだが、お客さんのユーザーはなかなか集まらない。集まったとしても他の宣伝コストと比べて特に優位に立てていなかった。

有力顧客が数社ついていてくれて、ある程度のお金は払っていてくれたのだが、どーも、このままではどうしようもない。

こんなときこそ、僕とアンディーの出番である。この状態をどう打開するかとことん話し合った。

ところが今回ばかりは、とことん話し合ってもどうも結論にたどり着かない。

そう、「どうしていいのかわからない」状態になってしまった。

この状態は小学校四年のときは四時間で終わったが、今回は三ヶ月ほど続いた。

このままではヤバい、という状況が周りにも伝わり始めていた。そんな中、投資家の一人のランディー・ヘイキンが、

「マネジメントコーチのハワードと会ってみたらどうだ」

と言ってきた。

ランディーは、ＹＡＨＯＯの初代マーケティング担当取締役で、株で大儲けして、当時は投資家になっていた。

コーチのハワードはいろんな会社に行っては、コーチングなる技術を使い、それを受けた会社は、成果が出やすくなるのだという。

僕らがそのとき必要としたのは「コーチ」ではなく、「お客さん」であり、「製品」であり、そして「追加投資」だった。

僕は丁重にお断りしたかったのだが、アンディーは興味を持った。

結局、そのハワードとやらの過去のお客さん数社に電話をかけて、どんな感じだったかをアンディーが調査をしてみることになった。

その調べによると、

「行く方向がはっきりして、それがやけに加速する」

といったのが平均的な答えで、最悪でも、

「歯医者に行ったようだった」（やったときは痛かったが、その後は具合がいい）

といった具合で、正直僕はまだ乗り気ではなかったが、アンディーが会ってみようと言うので、彼に従うことにした。

ハワードは五〇歳ぐらいの男で、「この会社を今後どうしたいのか」とか、「どんな問題があるのか」とかを僕らに質問してきた。

僕はあまりこのハワードが好きなタイプではなかったのと、真剣に答えたとしても、

「じゃあこの先会社をどうするんだ？」

という次の質問に対する答えを持っていなかったために、のらりくらりとした言い方に終始した。

そんな態度に、ハワードも苛《いら》ついたのだろう。

「それじゃあ君は、経営者でなく、単なるアスホール（ass hole：ケツの穴、使えないやつ）じゃないか」

と真剣な顔で言ってきた。

「まぁ、そうですね」と僕は開き直るしかなかった。

彼は静かに言った。

「自分一人でやっているならそれでもいいが、すでに君は投資家からも金を得ている」

この一言は僕にとって大きかった。

いままでは自分がどれだけビジネスを楽しめるかが最重要課題であり、自分のアイデアどおりに進めることが僕のやり方だった。

たまたま一番最初にリリースしたソフトウェアはそのやり方でうまくいったが、いまはその

自分のやり方では市場が反応してくれていない。

僕の心のスイッチに、なにかが入り始めていた。

しかし、この偉そうに物を言うハワードへのちょっとした敵対心もあった。

ハワードが「あとはアンディーと二人で話をしたい」と言うので、その場に彼らを残して部屋を出たが、内心は、ハワードにこそ出ていってもらいたかった。

「おいおい、こういった重要なことはオレとアンディーの二人で進めてきたんだ」

そう言ってやりたかった。

ハワードが帰ってから、アンディーは、僕があまり乗り気でないのを感じていたのか、少々躊躇《ちゅうちょ》しながら言った。

「ハワードに来てもらいたいんだがどうだろうか」

僕は乗り気でなかったが、アンディーはやりたそうだし、特に断る強い理由は（僕の気持ち以外には）見つけられなかった。

こうして、その翌週から、ハワードによるマネジメントのコーチングがスタートした。

第3章 Let's Begin!

会議の目的を確認する

初回の会議のメンバーは、僕、アンディー、シャンティ、そしてセールスとマーケティング担当のジェニファーの四人だった。

思えばこのメンバーで真剣なミーティングをやったことはなかった。

四人でランチに行くことは頻繁《ひんぱん》にあったが、暗黙の、そして明示的な上下関係があり、シャンティやジェニファーは、ランチのときでも、僕やアンディーと背反する意見は言い難かったと思う。

ハワードはホワイトボードを背にして、長い机の端の「お誕生日席」に座っていた。当日の議題がプリントされたものが人数分用意されていた。

会議室にはいつもと違う、微妙な緊張感があった。

ハワードは、

「ミーティング中は全員この部屋に最初から最後までいられますか」

「携帯電話はいまオフにしてください」

「僕が質問をして、それに対して、みんなでディスカッションしてもらう。時には僕がアイデアを出すこともあります」

といった当日のルールや進め方をひとしきり説明し、議題を読んだ。

議題に対して質問があるかと聞かれ、僕は一読したが、ちんぷんかんぷんだったので、「まあ、いいでしょう」といった感じで適当に頷いた。

ハワードは、一通り全員の顔を見ると言った。

「では、スタートしよう。

この九時間、何も起こらなかったら最悪だ。

最初の質問は『このミーティングが終わったときにどんな成果を上げることを期待しているか?』それを、まず手元の紙に書いてから発表してくれ」

――う〜む。僕は呼ばれたから来ただけだった。なのに、いきなり最初から、何かしなければいけないことになってしまった。

期待？　正直、特にない。ただし、これで何も起こらなかったら僕にとっても最悪だ。

当時どんな期待を書いたかは忘れてしまったが、この期待を書くことで、僕の少なくとも当日九時間の目標設定ができた。

………

Gazooba Executive Team
STRATEGIC WORKSESSION
November 18. 1999
10:00-19:00

《目的》
調和のとれたマネジメントチームとして、計画し、コミュニケートし、実行することにより、本チームの目標とする成功をもたらし、顧客と私達自身を満足させるためのフレームワークを決定する。

《主なディスカッション》

・あなたにとって、このセッションの成果として何が一番価値があるか。
・今日までに何が達成されたか。
・会社全体そしてマネジメントチームとして直面しているチャレンジに関してどんな問題点や懸念があるか。
・我社の次段階の発展のために本チームの行動のガイドとなる共有された目標を確立する。
・上記の共有された目標を実現する、調和のとれた行動の道のりを計画する。
・どのような成果が必要か。
・誰が、上記のどの行動と成果物に対して担当するか。
・本セッションで記録した未解決事項に対するシステマティックなアプローチを作成する。
・これからの六〇日間で私たちはどのようなブレークスルーをもたらすことができるか。
・他の人たちを巻き込み、彼らがアイデアと情熱を注ぎ、担当間で協力することのもたらすメリットを実感するには、どのようにすれば彼らと効果的にコミュニケートできるか。

………

紙に書いてから発表すること

目標が面白いのは、それを自分自身で立てると、なんとなく「それをやってやろう！」という気になってしまうところだ。

僕らがひとしきり紙に書き終わったのをみはからって、ハワードは一人ずつ発表させた。

途中、三人目のシャンティが発表しようとすると、ハワードは、

「書いてから発表することのメリットはなんだ?」

と聞いた。

シャンティは、

「まとまること」

と答えた。

ハワードは横のジェニファーにも聞いた。

「ジェニファーはどう思う?」

「発表に時間がかからないこと」

そうして全員に答えを求めてから、

「あともう一つメリットがある。

それは書いている間は他人の意見が見えないことだ」

と言った。

ん？　確かにそうだ。一人ずつ書かずに口頭で発表していったら、二、三人目からは「僕もそうなんですけど……」といった意見が出ておかしくない。少なくとも他の人の意見に左右される可能性は否めない。

この説明のしかた、つまり普通だったら、

「紙に書いてから言うと、人の意見が入らないメリットがあるので、紙に書いてから発表してください」

とやるところを、

「まずやってもらってから（体験してその中に入ってもらう＝紙に書く）、
そのメリットに関して質問する（疑問が起こって、答えを探そうとする）。

深い洞察のアイデアを提供する（「紙に書いているときは人の意見が見えない」）」。

この手順でやると、納得というか、落とし具合がとてもすとんと入る。

要約すると、左のようになる。

Aのやり方……〈洞察の提示〉↓〈実体験〉
Bのやり方……〈実体験〉↓〈質問〉↓〈洞察の提示〉

Bのほうが手間はかかるが、納得度は高い。

彼はことあるごとに、このやり方で、彼の洞察を僕らにインストールしていった。

全員が発表しおわると、ハワードは、

「各自その期待が会議が終わった九時間後に手に入っていたほうがいいと思うのだが、では、この会議室の中でそこに書いた期待が手に入るかどうかは、誰がカギを握っているか？」

という質問を参加者に投げかけた。

「それは僕やアンディーや司会をやっているハワードだろう」と僕は思っていたのだが、シャンティは「自分自身です」と言いやがった。

僕は彼の答えに「？」と思ったのだが、そういう覚悟で会議に参加したほうがたしかに成果は出やすいと思った。


この数十分の間になにが起こったかというと、
・経営の中心となるメンバーが緊張感を持ってそろった（ランチでなく）

・人の意見を気にすることなく、それを発表するしくみを手に入れた
・参加させられている（特に僕）という感じから、「なにかやってやろう」という気分になった

それも自分自身が一番それに貢献できるという感じで

後にコーチになって感じるのは、この三つは多くの経営者が望んでいて、それが思うほど手に入っていないのだが、なんと数十分でこれが手に入ってしまった。

いま達成できていることを考える

「では次の質問は、『いままでに何が達成されたか』」

ん？　いろいろあったがこのままでは会社は毎月一〇〇〇万円ぐらい経費がかかるから、あと半年もしないうちにつぶれるし、現行の製品は売れていない。

達成もクソもない状態だったので、なにも書けずにいたのだが、それを察したのか、ハワードは補足した。

「どうしても見つからなければ『電灯がついている』ことでもかまわないので、それを書いてください」

まわりの連中を見てると、なにやら手元にカリカリ書いている。僕もなにか書かなければ……。

「いままでに何が達成されたか……」

僕は書いた。

・一五〇万ドルの資金を得た
・ベースとなる最初のアイデアは市場で高い評価を得た
・カギとなるメンバーが集まってる

いまだったらジョークで『電灯がついている』とつけ加えるところだが、当時はそんな精神的余裕はなかった。

全員が手元に書き終わると、ハワードは順番に一つずつ読ませた。

一つ読んでは、次の人といった具合なので、三〜四周まわることになる。

自分の番がきて、もうすべて自分の書いたものは読んでしまった人は、「パス」していい。

この方法だと、一人の意見で全体の雰囲気が動くのではなく、みんなの意見が平均的に出てくるので、悪くない。

それにもまして、「けっこうイケてるじゃん！」というのがたくさん出てくるので、雰囲気もよくなる。

これによって僕らは、
・経営の中心となるメンバーが緊張感を持ってそろった
・人の意見を気にすることなく、それを発表するしくみを手に入れた
・参加させられているという感じから、「なにかやってやろう」という気分
・前向きな雰囲気にする
を手に入れた。

時間厳守は自分たちで実行する

チームの運営や会議では、雰囲気がよいチームは成果を出しやすいし、そうでないところは難しい。

それは誰でもわかることなのだが、うまくいっていることを発表し合うという手法を使えば、

「雰囲気をよくする」ことができるという手順を得たのも大きかった。

ここで、一〇分ほどバイオブレーク（生態休憩＝トイレ休憩）をすることにした。彼は時計を指して、「あの時計で、一一時三〇分に集合」と言った。

トイレに行ってから、いまだ微妙な緊張感とともに（別に残尿感というわけではないですが）会議室に戻った。

一一時三〇分には全員が集まり、雑談をしていた。ハワードはなにも言わずに僕らのほうを見ている。僕らは彼の視線に気がつき、彼に注目して雑談をストップした。

「OK。スタートできるか？（OK, can we start?）」

ハワードは僕らに質問をした。

この場に限らず、彼のコーチング・スタイルは、僕らの仕事は僕らにさせて、あとは質問をするといった具合だ。

会議をオンタイムでスタートするのは当たり前だが、司会者がいちいち「時間になったので、みなさん静かにしてください。では始めましょう」と言ったりしない。

彼のコーチングでは、時間どおりに会議がスタートできる状態（司会者に注目が集まっていて次のステップがすぐ踏める）をつくるのは、参加者の仕事にしている。コーチは、①リクエスト、②それができる雰囲気づくり、③確認の質問をしているだけなのだ。

僕らが会議をスタートする準備が完了している、すなわち他の会話がストップし、会議の司会者に全員注目していることを確認した彼は、続けて言った。

「では次の質問は『会社全体そしてマネジメントチームとして直面しているチャレンジに関してどんな問題点や懸念があるか。最も重要と思うことを二、三個書いてください』」

——おう、これはたくさんある。

・資金が足りない
・現行の製品が売れていない
・次の製品のプランがない

……といった感じだった。

これも全員が紙に書き、三回りほどで全員が自分の感じていることをすべて発表することになった。

問題を『どのようにすれば』に置き換える

さて、それぞれが、問題や懸念を一人ずつ発表するのだが、ハワードは発表するたびに、

「では、それを『どのようにすれば〜〜か？』の疑問文に言い換えてくれ」

と言った。

僕の場合で言えば、次のようになる。

・「資金が足りない」　→　「どのようにすれば資金を得られるだろうか？」
・「現行の製品が売れていない」　→　「どのようにすれば製品が売れるか？」
・「次の製品のプランがない」　→　「どのようにすれば製品のプランをつくれるか？」

ここで少し、僕が後に、ある渋谷の成長中の会社のコーチングをしたときの話をしよう。

仏頂面《ぶっちょうづら》の総務部長がいたが、彼は僕を少し斜めに見ながら、

「会社が面白くないのが問題です」

と言った。

僕は、ハワードがそうしたように、

「では、それを『どのようにすれば〜〜か？』のかたちに言い換えてください」

と言った。彼が答える。

「どのようにすれば会社が面白くなるか？」

僕は、彼に聞いてみた。

「その疑問形にしたら、なにが変わりましたか？」

「そんなこと考えたことなかったです」

たぶん彼は、会社が面白くない理由を説明するのは上手だったと思う。

しかし、「どのようにすれば」の質問文にしたら、初めて答えを考えてしまった。

僕は一言も答えを考えてくれとも言ってないし、ましてや僕にそれを言ったからといってボーナスが上がったり、評価が上がったりするわけではない。

それなのに、答えを考えてしまった。

「できない説明ではなく、解決策を言ってほしい」というのは、すべての経営者が社員に対して求めていることだが、それを手に入れられる経営者は多くない。

ところが、「どのようにすれば」と言い換えただけで、その状況がいとも簡単につくれてしまったのである。

僕は彼に言った。

「質問のかたちにしたら、答えを考えてしまったわけですね？」

「はい」

「じゃあ、もっと面白い質問のかたちにすれば、もっといろんな人が考えたりしてくれるかもしれませんね」

「どうすればいいんですか？」

「先ほどの疑問文『どのようにすれば会社が面白くなるか？』を、『これが起こったらいいな～』と思うような文章にすればいいんです。

最初は難しかったら『日本一』とか『世界一』といった言葉を入れれば、そうなりやすいです」

そう僕がアドバイスをすると、

「どのようにすれば渋谷一魅力的な会社を築けるだろうか？」

という魅力的な質問文を彼はひねり出した。

もしも僕が彼の会社の総務部員で、社長から「なにかのタイミングで会社のために使ってくれ」と三万円を渡されたとしよう。

考えられるシナリオは三つある。

シナリオＡ
――僕の上司が「会社が面白くないのが問題」と言っている
シナリオＢ
――僕の上司が「どのようにすれば会社が面白くなるか」と言っている
シナリオＣ
――僕の上司が「どのようにすれば渋谷一魅力的な会社を築けるだろうか」と言っている

さて、三万円の使い道はどうなるか。

Ａだったら、「じゃあ、給湯室のコーヒーのフィルターでも買っておくか」ぐらいだし、
Ｂだったら、「じゃあ、アイスクリームパーティでもやるか」となるし、
Ｃだったら、その答えを考えるだけでわくわくする。

Ａ、Ｂ、Ｃのうち、どの会社に入社したいかと言われたら、僕なら間違いなくＣだ。

仏頂面の総務部長同様、ハワードから言われて、初めて「どのようにすれば」に出合った僕にも、「！」がやってきた。

言葉のフォーマットを変えただけなのに、こんなに差が出てくるとは、僕も驚きだった。

当時の僕も、フォーマットを変えることで新たな視点ができることを知った。

言えない問題を言ってみる

考えつく限りの問題や懸念を読み上げ、「どのようにすれば」に置き換えていく作業が一巡すると、ハワードは「他にないか」と確認した後、次の質問を続けた。

「言わなかった問題、言えない問題、言ってはいけない問題はなにか？」

——ん？　言えない問題？　これは答えにくい質問だ。

心のなかを探してみると、

「現行の製品は『売れていない』のではなく、製品そのものがカスだ」

というのが出てきた。

これも、「どのようにすれば、すごい製品ができるか」と言い換えた。

さらにハワードの質問は続いた。

「では次は、この会社のひどい真実はなにか？」

——ん？　おい、もっとかよ？　と思ったが、

「僕とアンディーの間がうまくいっていない」

というのが出てきた。

「どのようにすればゼンとアンディーがエグゼクティブとして機能するか」というかたちに置き換えられた。

そうすると、

「では最後に、あなた自身のひどい真実はなんだ？」

とハワードは聞いてきた。

うーむ、これも答えにくかったが

「僕がＣＥＯを下ろされ、駄々をこねている」

というのを思い切って出してやった。

他のメンバーからも、どんどん出てくる。

面白いのは、最初に出てきた問題よりも、後半に出てくる「言えない問題」「ひどい真実」のほうが、経営をやっていくうえで、より重要度が高いものが出てきたことだ。

これらを放っておいたままで、最初のほうに出てくる問題をなんとかしようとしても、問題の根を絶やすことはできない。

「問題の本質はなんだ？」と質問してもなかなか答えは出てこないが、このフォーマットでやると答えが出てくるから不思議だ。

これによって僕らは、

・経営の中心となるメンバーが緊張感を持ってそろった
・人の意見を気にすることなく、それを発表するしくみを手に入れた
・参加させられているという感じから、「なにかやってやろう」という気分
・前向きな雰囲気にする
・達成しようとしていることの本当の障害が前向きな形で明らかになる
・なんかやってやろうという気分になっている

を手に入れた。

ここでも一つ、特記すべきことがあるとすれば、立場の違いに関係なく発言ができたことだと思う。特に普段はそんなことを口にするチャンスが与えられていなかったジェニファーは興奮している様子だった。

僕やアンディーはいつでもこんなことは言えると思っていたのだが、実際にこういったプロセスをやってみると見えないことが見えてくる。これだけでも、やってみる価値は高い。

第4章 組織を「自己啓発」する

「戦略的フォーカス」を設定する

午後になり、ハワードは次のステップに進んだ。

「いままでは過去のことについてディスカッションしてきた。

これから未来をつくっていこう。

次の質問は『このチームによってこれから半年で何が主な成果として創り出せるか』ということだ」

半年でどんな成果を創り出せるか――。

彼はそれを次のような三行に書くよう指示をした。

「X年Y月Z日までに
～～（なんらかの数字または測定できること）～～を達成することによって
～～～欲しいインパクト～～となる。」

いままでと同じように、それぞれが手元の紙に、他の人の意見が聞こえない状態で書き始めた。

これはずっとあとになってから気がつくのだが、午前中のセッションをやったことで、僕らは、問題がよく見えていたし、「どのようにすれば」のかたちで表現することによって、心のなかに漠然とした解決方法も見え始めていた。

そうした変化が起こりながら、グループで目標設定ができたというのはとても幸せなことだった。

ハワードの指示のとおり僕らはそれぞれに思いついたことを書き、これも、各自がそれぞれに発表した。

それをもとに、できたのが左の「戦略的フォーカス」だ。

「二〇〇〇年三月三一日までに
新製品を大手企業二社に採用され、「これはイケる！」という手紙をもらうことで
イケてるバイラルマーケティング会社として市場から認知される」。

このミーティングをやったのが一九九九年一一月だったから、わずか四ヶ月ちょっとしかない。シラフだったらどう見ても無理な目標だったのだが、この場は、「これでいこう」ということになった。

この「戦略的フォーカス」――短期的かつ明確に（数字が入っていて）、インパクト（その数字を達成するのが我々にどんな意味があるのか）がある目標を、会社のエグゼクティブたちによって自らつくられている組織はかなり少ない。

この文章がいいやつができると、その後の「やらなければいけないこと」がどんどん目に見えてくるし、解決しなければならない問題もはっきりしてくる。

また、問題を解決するときにＡ案、Ｂ案が出てきたら、この戦略的フォーカスを達成するのにはどちらが効果的か？　という質問をすると答えが出てきやすい（Ａ案もＢ案も駄目でＣ案をつくらなければということが明らかになることもある）。

またこの戦略的フォーカスは、エグゼクティブ全員でつくり、合意したというのも大きなポイントだ。

組織で働く以上、命令系統が多かれ少なかれ存在し、上から命令が（望むと望まざるとにかかわらず）ふってくる。すなわちＡかＢかの道に迷ったときに、組織の中で広範囲に使える「ナビ」が手に入るのである。

そんな中で、

「じゃあオレたちはこれがしたくて、これを達成するんだ」

という文章が、実行する人全員で握られている状態があると、それは問題がおきたときに「できない理由を説明する」か、「どうしたらできるようになるか」の差をもたらす。

余談だが、この「戦略的フォーカス」をつかうことが、僕は後につくづく気に入ってしまい、翌年に趣味のバンドを結成した際にも、メンバーとつくった。

ちなみにそのバンドの戦略的フォーカスは、

「二〇〇一年一二月二〇日までに、
三〇〇〇人以上入るホールで二回以上ライブをやることにより、
ビジネスの世界にアートをもたらす」

という十分イカレタものだった。

なにせバンドメンバーのうち経験者は一人だけ、あとはド素人三人だ。チームワークという概念もあまりない。みんながボスになりたいやつらであり、ちなみにバンドのリーダーを投票で決めようとしたのだが、開票してみると、それぞれに一票ずつ入っていた……。

これは普通に考えればどう見ても無理なのだが、この戦略的フォーカスを実現するためにいろいろアイデアが出てくる。

「ビジネスセミナーとして売り込もう」

「インターネットワールドに売り込もう」

結果、僕らのバンドはこの困難な目標を、新宿文化センター大ホールおよび幕張メッセでのライブというかたちで実現した。

組織やグループで目標を立てるメリットはなんだろう？

やるべきことがわかる。

達成したかどうかわかる。

進む方向が一致する。

やる気が出る。

……いろいろあるかもしれないが、それらが起こることによって一番のメリットは、

「目標を立てなければ起こらなかったことの実現可能性が最大化する」ことだと思う。

ところが多くの組織やグループでは、「別にその目標を立てなかったとしても、それぐらいはいくでしょう」といった目標を立てていることを目にする。

朝起きるのが楽しかったり（目標に進むので）、また朝起きるのが憂うつだったり（目標を達成しようとすると数々の困難が待っているので）、そんなロマンティックな組織を可能にするのが、この「目標を立てなければ起こらなかったことの実現可能性が最大化」する目標だと思う。

これによって僕らは、

- 経営の中心となるメンバーが緊張感を持ってそろった
- 人の意見を気にすることなく、それを発表するしくみを手に入れた
- 参加させられているという感じから、「なにかやってやろう」という気分
- 前向きな雰囲気にする
- 達成しようとしていることの本当の障害が前向きな形で明らかになる
- なんかやってやろうという気分になっている
- 共有共感の持てる短期的で明確な目標

を手に入れた。

目標達成のために何をするか

次にハワードは、バームクーヘンのような図をホワイトボードに書いた。

その真ん中には、「二〇〇〇年三月三一日　一枚の推薦状」とある。

「次の質問は『これを手に入れるのに、何をマネージすればいいか』。だいたい六つに区切って書いてくれ」

僕は、「技術（開発）」「社内インフラ」「セールス」「製品設計」「資金」の五つを書いた。

これまでと同じようにハワードは、全員に一つずつ読むように指示し、数周回って、全員のアイデアを連番に付けてホワイトボードに書き込んだ。

すると、人によって切り口が違うので全部で一八個ぐらいの「部門」が必要になる。

ここでハワードは、

「では、どれとどれを一緒にすればいいか」

と質問をしてきた。

みんな「4、6、7は一緒になると思う」といった具合に数字で言い合い、しばらくすると六つのグループにすることができた。できあがったバームクーヘンはこんな感じだ。

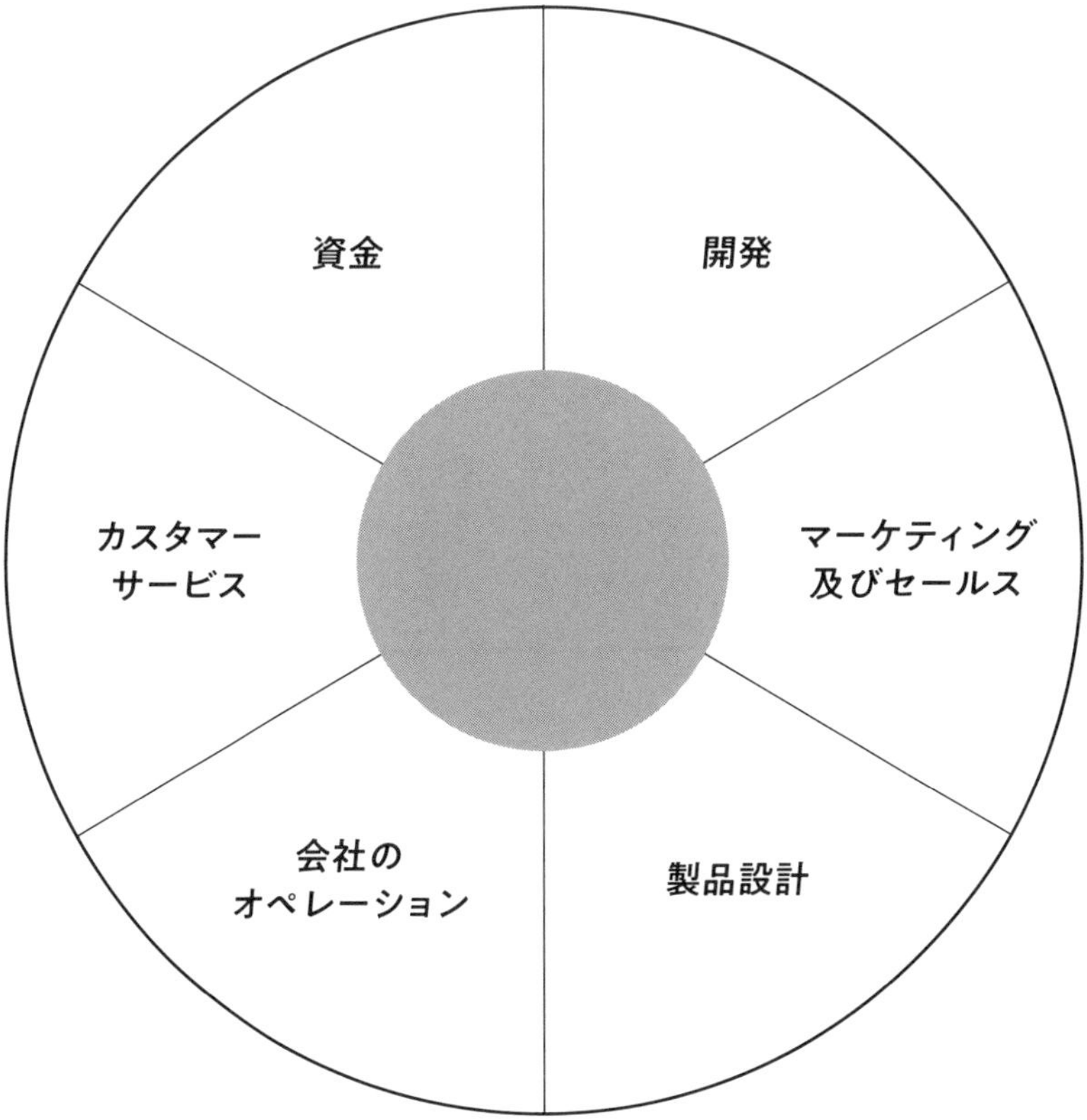
資金
開発
カスタマーサービス
マーケティング及びセールス
会社のオペレーション
製品設計

ここでき上がった組織図のいままでと違うところは、

１）全員自分が必要と思っている機能は明示的にどこかに必ず入っている

２）この組織図は「オレたちがつくった」

３）上下関係が書かれていない

といったあたりだろうか。

これができると、ハワードは、

「誰がどの部門を主に担当すれば、最も効果的に戦略的フォーカスを達成できるか」という質問をした。

僕にとってはちょっといやな質問だ。

いまは技術の担当をやっているが、それが世界一好きとか上手というわけではなく、できれば製品設計やマーケティングにクビをつっこみたい。

彼は「誰がどの部門を担当したいか？」ではなく、「誰がどの部門を担当すれば最も効果的か？」という質問をしてきたのである。

結局、名前はこんなふうに入った。

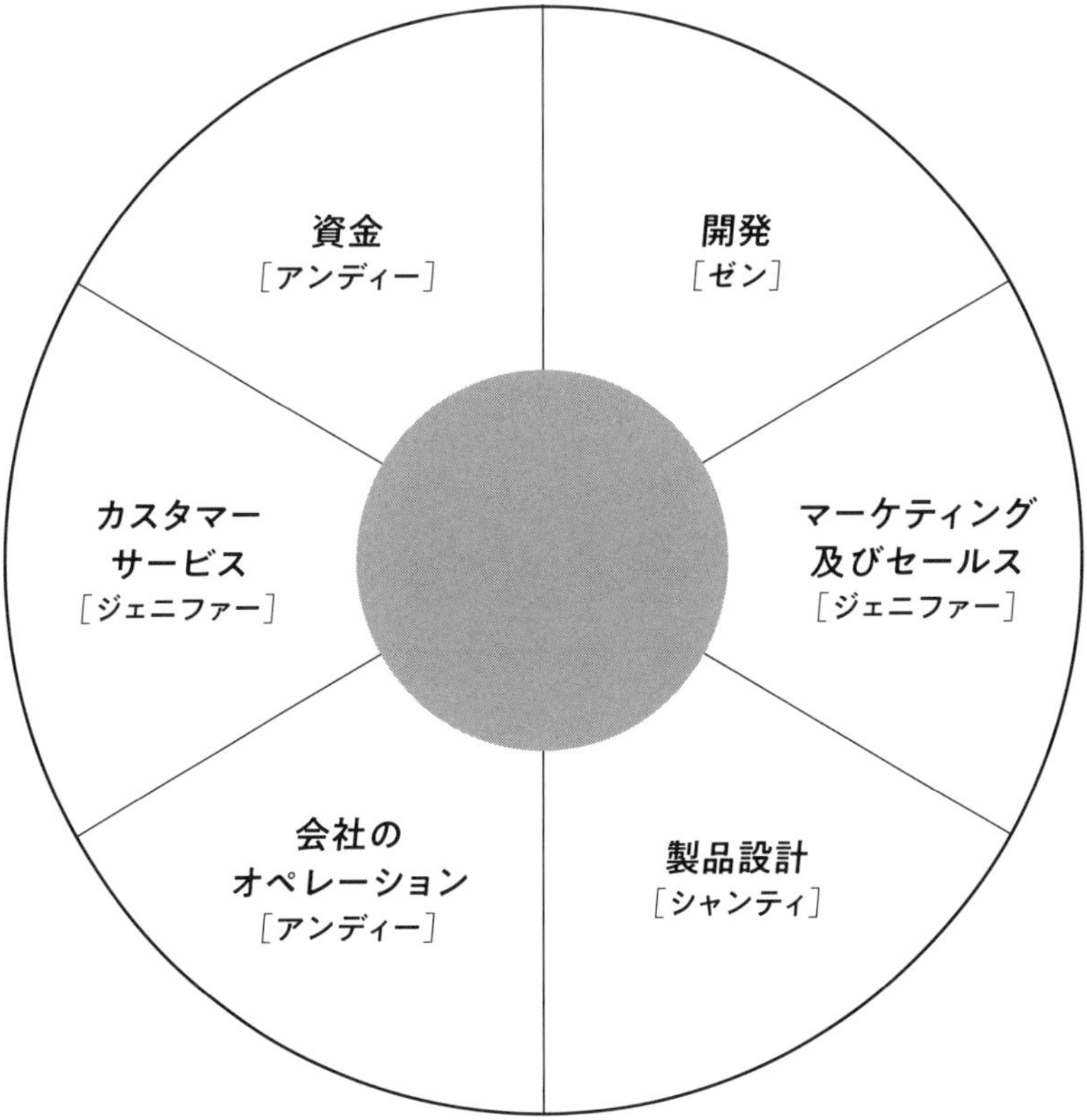
資金
［アンディー］
開発
［ゼン］
マーケティング
及びセールス
［ジェニファー］
製品設計
［シャンティ］
会社の
オペレーション
［アンディー］
カスタマー
サービス
［ジェニファー］

僕は「技術」を主に担当する。必要に応じて、製品設計や、マーケティングをサポートするというかたちだ。

いままでと違うかたちなので違和感がある。それで、あれやこれや「それじゃあうまくいかない」的発言をしていると、ハワードは、

「では、おまえの提案はなんだ？」

と聞いてくる。

つまり、うまくいかない理由を指摘するときは、代替案を提示しろというわけだ。

コーチをしていてよく見えるのは、放っておくと会議の時間の九五％は「コメントの交換」に使われている、ということだ。

これを「明確化のための質問」「代替案の提示」「リクエスト」の三つだけに絞ると面白いほど会議が前進する。誇張ではなく二〇〇〇％会議の効果性があがるのである（なぜなら普通は九五％はコメントだから！）。

これによって僕らは、

・経営の中心となるメンバーが緊張感を持ってそろった

・人の意見を気にすることなく、それを発表するしくみを手に入れた

・参加させられているという感じから、「なにかやってやろう」という気分
・前向きな雰囲気にする
・達成しようとしていることの本当の障害が前向きな形で明らかになる
・なんかやってやろうという気分になっている
・共有共感の持てる短期的で明確な目標
・目標の達成の担当分野の明確化

を手に入れた。

コミットメント・リストをつくる

ハワードは次に、

「それぞれの担当分野で次の四ヶ月で、それぞれ何を達成すれば、戦略的フォーカスが達成できるか。

それぞれ、

『X年Y月Z日までに~~~を達成する』

というかたちで三~五個書いてくれ」

と言った。

「また、お互いに他の担当部署にしてほしいことがあれば、それも同じように日付をつけてリクエストしてくれ」

僕は技術担当だったので、次のように書いた。

①一九九九年一二月一日までに開発に入る
②二〇〇〇年二月一五日までにデータベースやネットワーク等のインフラを整える
③二〇〇〇年三月一日までに新製品がテスト可能な状態になっている
④二〇〇〇年三月一五日までに新製品が使えるようになっている

そして、①については、こんなリクエストをした。

⑤製品担当のシャンティに、一一月二五日までに新製品の仕様をくれ
⑥製品担当のシャンティに、一一月二五日までに新製品の仕様をマーケティングのジェニファーとつめて、彼女から「これでいける」という言葉をもらっておいてくれ

②については、

⑦資金担当のアンディーに、一月一日までに、ハードウェア等の発注や、新エンジニアを採用できるように、投資家から五〇〇〇万円集めてくれ

⑧マーケティング担当のジェニファーに、一二月一五日までに、「一ヶ月のうち、何分落ちてもいいか」の要求をかためてシャンティと合意してくれ（それによって必要となるインフラのコストが変わる）

④については、

⑨マーケティングのジェニファーに、三月一日の時点で「少々不都合があっても激怒しないお客さん」三社を用意して、三月一五日までにテストに協力してもらうＯＫをとりつけておいてくれ

……といった具合だった。これをリストに集めると八六頁のようになる。

これによってぼくらは、

・経営の中心となるメンバーが緊張感を持ってそろった
・人の意見を気にすることなく、それを発表するしくみを手に入れた
・参加させられているという感じから、「なにかやってやろう」という気分
・前向きな雰囲気にする
・達成しようとしていることの本当の障害が前向きな形で明らかになる
・なんかやってやろうという気分になっている
・共有共感の持てる短期的で明確な目標
・目標の達成の担当分野の明確化
・目標達成のための計画

を手に入れた。

どうすれば計画通りに進められるのか

その日の最後にハワードは、

「この部屋の外にいる連中に、ここで起こったことをどういうふうに伝えれば、彼らから情熱を注いでもらえるか？」

と僕らに言った。

確かに、カギとなるエグゼクティブたちが会議室に一日こもって、急にわけのわからないことを言い出したら、僕が部下だったら一歩引いてしまうかもしれない。

彼らが情熱を注ぎたくなるようなかたちでどうやって彼らにチャレンジを投げるか。まさにラインの経営者としての力が試されている質問だった。

もちろんすべてのハワードの質問には、正解や模範解答はない。

質問をすることによって、エグゼクティブたちが自ら答えを出すきっかけをつくっている。もし参考にしたい模範解答があったら、どこかで調べてくればいい。

このコミットメント・リストを最初のうちは、毎朝八時から一五分全員で集まって、進捗《しんちょく》のチェックをすることになった。

このリストの面白い点の一つは、進み具合の欄がX%というかたちではなく、

「このままいくと、スケジュールどおりに終わるか？
でないとすれば何日遅れるか？（または早く終わるか？）」

という質問になっていることだ。

計画を立てた時点では、スケジュールどおりに終わる目論見なので、そこには「0」、つまりスケジュールどおりに終わると入れる。

しばらく仕事をしてみて、

「あっとヤバイ。あれが遅れるので、これも遅れる」

というのが出てきて、

「一週間遅れそう」となると、「-7」と入れる。

これがあると、スケジュール完了当時になって「できません」ではなく、一ヶ月前から「放っておくと七日遅れる」というのが見えるので、対策を立てやすい。

コミットメント・リストの進捗チェック

それから毎朝コミットメント・リストのチェックをするのだが、朝になると、「あっ、あれを忘れてたっけ」というのが結構出てくる。

朝、顔をつき合わせてスケジュールの相互チェックをするといった一見幼稚なことが、実は大きな差を生み出した。

イントラのどこどこにファイルを入れておくから、「みんな毎朝（または毎週）自分でアップデートしてね！」では、なかなかうまくいかないことが多いのだ。

以前飛行機に乗っていたら、前の席に（かわいい）スチュワーデスさんがこっち向きに座っている席（ジャンプシートと言うそうです）に座った。

なにかリングファイルの印刷物を見ているので、「それなんですか？（ハンカチ落としましたよ）」、と話しかけたら、アナウンスの手順リストだった。

それによると、飛行機のドアは、緊急時に手動で内側から開けると、緊急スライドが空気で膨らんで、滑り台になるのだそうだ。

飛行機が飛んでいるときは、いつ緊急事態が起こってもいいように「ＡＲＭＥＤ（発射準備ＯＫ）」の状態になっていて、そのモードを切り替えるために、

「乗務員はドアモードをマニュアルに替えて、クロスチェック（相互確認）してください」

というアナウンスがある（航空会社によって違うそうです）。

それは、つまり、「ドアのモードのスイッチを切り替えて、その上でお互いに切り替えたことをチェックしてください」ということだそうだ。

別にドアのモードなど、小学生でも切り替えられるのだが、クロスチェックするというところが僕はとても気に入った。

「サンタが街にやってくる」という歌があるが、あまり知られていない歌詞の意味は次のとおりだ。

「気をつけたほうがいいぞ、
泣いてばかりいないほうがいいぞ、
その理由は、サンタが街にやってくるから。
彼は誰がいい子で悪い子か、リストをつくって二度チェックしている」

僕はこの「リストをつくって二度チェックしている」という部分がお気に入りだ。

ドアのクロスチェックも、いい子かどうかの二度チェックも、何かをより確実にするための、誰にでもできる「方法」で、それを経営でもやると、驚くほどにその効果が表れる。

これによって僕らは、

・経営の中心となるメンバーが緊張感を持ってそろった
・人の意見を気にすることなく、それを発表するしくみを手に入れた
・参加させられているという感じから、「なにかやってやろう」という気分
・前向きな雰囲気にする
・達成しようとしていることの本当の障害が前向きな形で明らかになる
・なんかやってやろうという気分になっている

・共有共感の持てる短期的で明確な目標
・目標の達成の担当部分の明確化
・目標達成のための計画
・計画の進行管理方法

を手に入れた。

コミットメント・リスト

以下のコミットメント・リストを作成し、定期的にレビューすることによって御社プロジェクトの戦略的フォーカスの達成状況が把握できます。

最終更新日：1999/11/7
（いつ更新したか日付を入れておきます）

ID	コミットメント	担当者	期日	依存	状況	メジャーメント
1	開発スタート	ゼン	1999/12/1	5.6	0	コーディングがスタートしている
2	データベースやネットワーク等のインフラを整える	ゼン	2000/2/15	7.8	0	データベースとネットワークが動いている
3	新製品がテスト可能な状態	ゼン	2000/3/1		0	テストスタート
4	新製品の開発完了	ゼン	2000/3/15	10	0	新製品が動いている
5	新製品の仕様決定	シャンティ	1999/11/25		0	仕様書
6	新製品の仕様をジェニファーと合意	シャンティ	1999/11/25		0	ジェニファーの合意
7	新製品の仕様決定	アンディー	2000/1/1		0	銀行口座にに★50万ドルシステム予算がある
8	サービスレベルの定義	ジェニファー	1999/12/15		0	シャンティの合意
9	テスト顧客準備	ジェニファー	2000/3/1		0	そのお客さんでテストスタート可能
10	優良顧客から発注書3通	ジェニファー	2000/3/15		0	経営幹部が認める「優良顧客」からの書面での発注書
11	顧客から推薦状2通	ジェニファー	2000/4/30			
12	等各自のコミットメントが続く					
13						
14						

第5章

会議が変われば会社が動き出す

ビジネスは**必**ず、「**問題**」にぶちあたる

ハワードに導かれて始まった、この一見無茶な戦略的フォーカスを立てて組織として動き出すと何が起こるか？

組織によって反応はさまざまだが、唯一共通していることがある。

それは、

「戦略的フォーカスを達成するのは簡単ではなく、達成の障害や問題となることが次々と起こる」

ことである。

いままで解決できていなかった問題を解決しなければ、達成できない目標なので当たり前のことなのだが、多くの組織の場合、問題が起こると、「どうしていいのかわからない」僕の小学校四年生のときと同じ状態になってしまうことがよくある。

「がんばって」済む問題ではないのだ。

もちろん僕らの組織でもそれが起こっていた。

【会社的には起きていたこと】

①新製品の仕様が合意できない

②新製品リリースのために必要な資金が集められない

③新製品を試してみようというお客さんが集まらない

【技術部門的に起きていたこと】

④どう見ても開発の時間が足りない

⑤コーディングのスタイルが人によって違うので、人のプログラムを理解するのに時間がかかりすぎる

⑥現在開発したプログラムのバックアップをとってないので、万一なにかがおこったら一からやりなおしになる

⑦新設計のネットワークだとルーターのメモリーだけで二〇〇万円かかる

ビジネスを日々進めていくうえで、確実に「問題」にぶちあたる。

それらの多くは解決策が見えない（または現在やっている行動がうまく成果に結びついていない）。

そんなときは集団で問題にアプローチしてみる。

名付けて、「奥義集団の型」。

この型は動けば最もパワフルに成果に影響を与える。

ただこれは、簡単な型ではないので、まずは自分自身でやってみて使えるようになったら、集団でやってみる。

■ステップ1■問題点または懸念↓パワフルな質問で表現する

例：「どのようにすれば、目標を達成するために、日々の業務のパフォーマンスにブレークスルーをもたらせるか」

まずは問題を、「どのようにすれば〇〇できるだろうか？」のかたちにする。

この文章のつくり方しだいで答えの質が変わる。

ここでパワフルな質問文ができれば、この型は半分成功している。

■ステップ2■現時点での状況↓（データ／事実／何が起こったか？／何を感じとれるか、観察できるか？）

例：「私の主張では競合製品の価格のほうが安い」
「私の主張では納期が守られないことがある」

このステップでは問題の周りでどんな現状があるかを一〇分程度で一五個ほど挙げる。

ここでのポイントは、現状に対するオピニオンが違っていても、それについてはディスカッションをしない。

そこで「『私の主張では……』で言う」というルールにすると、自分と違うオピニオンが出ても反発感が起こりにくい。

実はこのステップが終わった時点で、成功か失敗かは九〇％以上確定している。

このステップがうまくいっていると、解決策が勝手に出てくるのだ。

■ステップ3■提案、代替案、創造的な解決策、検討の可能性

例：「私の提案は……」

ステップ２がうまくいくと、とても不思議なことに解決策がいろいろ思い浮かぶ。そこで、このステップで、提案をシェアする。

ここでも同じように「私の提案……」で始めると、背反する意見や、違う意見での不必要なディスカッションが起こりにくい。

■ステップ４■アクション――成功の定義が決まっているコミットメント（いつまで？　質？　量？　誰がどのようにして知るか？　等）

例：「私はリクエストがあります（何々してもらえますか？）」
「私は約束します」

ステップ３ではいろいろとナイスなアイデアが出てくるのだが、要はアクションが起こされるかどうかである。

ステップ３の中のアイデアから、リーダーがやるものとやらないものを決めて、アクションを起こすのが適当な人に「ＸＸさんＹＹまでにＺＺといったアクションを起こしてください」とリクエストをする。

リクエストされた当人はＹＥＳでもＮＯでも、またそれについて交渉してもかまわない。そこでYESが出ることによって、アクションが約束される。

「集団解決の型」を使う方法

プロジェクトやビジネスを進めていくと、いままでに解決したことのない問題に出合う。多くの問題は、ちょっと考えて解決策が出ないと、あとは「悩み」モードに入り、解決されないことが多い。

そこで問題が出たら、この集団解決の型を使うことを合意しておくと、ほとんどの問題は、「できる・できない」から「やる・やらない」にかたちを変える。

Ａ．優先順位をもとに、ミーティングの時間内で許す限り、次のステップをする

１）問題を「どのようにすれば〜できるだろうか」のかたちに書き換える

２）現状を書いて発表する

３）代替案を各自紙に書いて発表する

４）どれを実行するかしないか決めて、担当者と期日と望まれる成果（メジャーメント）を明確にし、コミットメント・リストに記入する

B. ミーティングの終了時間一〇分前になったら、残った問題を、誰がいつまでに解決するか（またはとりあえず放っておくか）を合意する

このやり方をやると、多くの場合、問題の解決策が見えてしまう。

僕らの会社に起こっていたことに当てはめると、次のようになる。

①新製品の仕様が合意できない

・僕らのコンサルタントのケイトと来週スペックミーティングをやり、そこでやるか、死ぬかの仕様を決める

②新製品リリースのために必要な資金が集められない

・仕様書時点で半金、リリースできたら半金、そしてある程度余分に株を投資家に発行する

③新製品を試してみようというお客さんが集まらない

・創業者ツアー「〇月〇日に創業者の僕やアンディーが先方の創業者に次々にマーケティングのジェニファーと会いに行く」

④どう見ても開発の時間が足りない

・時間は足りない。これはどうしようもない。一月頭までに出稼ぎプログラマーを二人入れる

⑤コーディングのスタイルが人によって違うので、人のプログラムを理解するのに時間がかかりすぎる

・各自のプログラムのつながりの部分の仕様を一ページ決める

⑥現在開発したプログラムのバックアップをとってないので、万一なにかが起こったら一からやりなおしになる

・バックアップのシステムをつくる

⑦新設計のネットワークだとルーターのメモリーだけで二〇〇万円かかる

・他の会社ではどうしているか、他の会社の技術担当の常務に聞いてみる

もちろん、日付と担当者を付けて、コミットメント・リストに記入した。

これによって僕らは、

・経営の中心となるメンバーが緊張感を持ってそろった

・人の意見を気にすることなく、それを発表するしくみを手に入れた

- 参加させられているという感じから、「なにかやってやろう」という気分
- 前向きな雰囲気にする
- 達成しようとしていることの本当の障害が前向きな形で明らかになる
- なんかやってやろうという気分になっている
- 共有共感の持てる短期的で明確な目標
- 目標の達成の担当分野の明確化
- 目標達成のための計画
- 計画の進行管理方法
- 目標の達成の障害となることにシステマティックにアプローチし、討議し、解決する方法を手に入れた。

砂漠に水を撒《ま》いているような気分

困難がありつつも、会社として大きく前進し始めたころ、セールスマーケティング担当のジェニファーが、なにやら「笑ゥせぇるすまん」に出てくる「もぐろふくぞう氏」似のやつとオフィスの入り口で話をしている。

僕とアンディーが通りかかると、ちょっとバツが悪そうに「お客さん候補の一社よ」と僕らにもぐろ氏を紹介した。なんかしっくりしない感じがした。

ある日、新製品のサービスを売っているジェニファーたちとミーティングをすることがあった。

彼女のお客さん候補の一社が、僕たちが設計の仕様に入っていない機能を欲しがっているので、どうしても今度の製品に組み込んでほしいという依頼のミーティングだった。

技術を担当している僕としては、すでにスケジュールはムリムリで、一〇社が欲しいと言うならまだしも、一社ごとに要求を聞いていたのでは「製品」ではなく、ただの下請けになってしまう。

もちろん彼女としてはそこから発注を取りたいので必死だ。

他から十分な発注書があるならまだしも、数少ないお客さんを彼女としてはどうしても逃したくない。

新しいサービスを立ち上げたり、既存の物やサービスでも、いままでにないレベルのことを達成しようとすると、頻繁に「砂漠に水を撒いているような気分」になることがある。

いくら撒いても撒いても、砂に吸い込まれ、本当にこの努力を続けていていいのか迷ってしまう。その状況でオアシス（発注書）を見つけたのだから、彼女は肩で息をしているし、鼻息も荒い。

こんなときこそ、チームとしての真価が問われているのだと思う。

無茶な目標を掲げるのはそんなに難しくない。それを実現するために、日々出合う「唯一の正解」がない状態でも前進するしかない。

この、ミーティングに参加していたダンは二〇代後半のエンジニアだが、彼は前に勤務していた会社が買収され、億万長者になって、半年ほどアジアを放浪してから僕らの会社に入ったのだった。

彼は、かなり攻撃的になっている僕とジェニファーに、

「ちょっと待ってくれ、これは日々起こることじゃないか。

こういったことはよく起きる。クールにプレイしよう」

と言った。

いったん問題の渦のなかに入ってしまうと、周りがなかなか見えなくなる。ダンが一言かけてくれるだけで、問題は解決しやすくなる。

障害になっていることは何か

さて、そんなある日、ジェニファーが突然会社を辞めると言い出した。どうやら先週見かけたもぐろ氏はヘッドハンターだったようだ。

当時シリコンバレーはすごい人手不足で、優秀な人間なら、マーケティング、営業、技術、とにかくひっぱりだこだった。

エンジニアのダンも、僕らの会社に入る前に「職場探してます」というメッセージをウェブに掲載したら、一週間で三〇社からコンタクトがあったそうだ。

アンディーと僕が必死に説得したが、彼女の意思は固い、そこで僕らは、ダメモトでハワードに電話をして助けを求めた。

彼は、「わかった。話をしてみる」と一言だけ言って電話を切った。

翌朝ジェニファーは、僕たちのところに「退職届」を持ってきた。

ハワードといえども、ジェニファーの意思を覆すのは無理だったようだ。

退職届を読んでみる。

私ジェニファーは、一ヶ月後の○月×日に退職させていただきます。
その理由は、
マネジメントの意思決定に十分参加できていないこと
わが社の資金がもう少しで底を突きそうなところ
資金を得たとしても、自分の持っている株が○・五％しかないことです。
もしも、一ヶ月以内に上記の内容が是正されるのでしたら、ぜひこの会社を辞めずに働き続けたいと考えております。

○○○○年○月○日　ジェニファー

僕とアンディーは、「あちゃー」という感じだった。

ジェニファーにはもちろん辞めてほしくないが、これらを是正するには、僕たちにも相応の覚悟とコスト（株発行）が発生する。

多くの問題は、問題が発生したときの覚悟や、投入を計画していた資源（お金、時間、物など）だけでは解決しないことが多い。その問題が僕らの達成することの障害になっていたなら、あとは覚悟を決めてやるしかない。

資金に関しては、投資家からすでにある程度のコミットメントを得ていたので、彼女と投資家が直接話すチャンスをつくり、株に関してもなけなしの社員会持ち株を、それなりの水準に上げた。

もちろん投資家といった社外役員を含めた取締役会では、「Do you really need her?」（本当に彼女が必要か？）と聞かれた。

僕らの答えがYESだからこそ、こうやって覚悟を決めているのだ。

会社をやっていると、放っておいた問題から「トナカイの死骸の臭い」がしてくることがある。トナカイの死骸の臭いなんて誰も嗅いだことがないのだけど、「な～んとなく、はっきり言えないけど、いやな感じがただよっている」ことだ。

日々いろんな意味で整理整頓や掃除をしっかりしないと、ある日突然、トナカイが辞表を持ってくる。

「くだらないアイデア」

新サービスを立ち上げるにあたって、どうしても欲しかったのが優秀なシステム管理者だった。

ところが、そこそこの規模のウェブサイトのシステム管理者というのは、当時まだインターネットが産声を上げたころだったので、極端に足りなかった。システム管理者が手に入らないと、予定どおりに製品を投入できない。

毎朝のミーティングで、僕の「X月Y日までに優秀なシステム管理者を雇う」の部分が、日々遅れていた。

ある日の朝のミーティングで、ジェニファーが、

「どうしたら我々はゼンを助けられるか？」

と僕とグループに質問した。

- 社員の仲間を紹介してもらう
- 紹介された人が我社で雇用されたら五〇〇〇ドルの礼金を出す
- 社員だけでなく、我々の「業者」にも、システム管理者紹介してくださいのメッセージを出す（五〇〇〇ドルの礼金を提示）
- 投資家にも頼む
- 毎朝の会議をビルのロビーでやり、「システム管理者募集。紹介者には五〇〇〇ドル進呈」のビラをまく
- そのビラを背中に張って昼飯を食べに行く

こうしたアイデアが出てきて、全部今日から実行することになった。ビラはアイデアが出たときは「ノリ」で「やろう！」と言ったが、実際実行するとなると、かなり抵抗がある。でも僕たちはやった。僕たちが飲茶のランチに、そのビラをつけた格好で行くと、周りのテーブルのやつらは僕らのことを見てひそひそ話をしている。

僕がコーチをやるときに、ときどき「くだらないアイデアをあと二つ追加してください」とリクエストする。

普通のアイデアは他社でもやってる。一見くだらないアイデアを、プロとして実行できるやつらはそこで確実に差が出る。

このしくみで紹介されたシステム管理者候補が、僕と面談することになった。

僕は彼のことが気に入り、ぜひ入ってほしいと思った。

彼に、「じゃあ肩書きは何にしようか？」と聞くと、彼は冗談で「ネットワークとＵＮＩＸの神ではどう？」と言ってきた。

僕はすかさず、「そりゃあいい！　本部長以上の肩書きは取締役会の決議事項だけど、『神』は僕の裁量で決められる。そうしよう！」と言った。

僕の馬鹿さぶりを気に入ってくれたのか、彼は我社に入社した。

もちろん入社契約書や、名刺の肩書きは「神」だ。

こんなふうに、僕らは問題が出てくるたびに、「どのようにすれば」のかたちにすることを乱用して楽しんだ。

たとえば毎朝の進捗管理のミーティングがマンネリになってくると、

「どのようにすれば毎朝のミーティングをセンセーショナルにできるか」

といった文章になる。

毎週「ミーティング幹事」を決めて、その人が、なんらかの工夫をしてセンセーショナルにすることにした。

片足でミーティングしたり、服装の決まりがある日があったり、ロビーでやったり、公園を歩きながらやったり、一つひとつがとてもいい記憶として僕のなかに残っている。

LOVEな気持ちで仕事をする

ハワードが来て間もないころ、彼は僕に、

「ゼン、何をコミュニケートしてるんだ?」

と言ったことがある。

確かにジェニファーになんかやってくれとリクエストをだされて、「ＹＥＳ」と答えた直後だった。

僕としては難しいなかで、「ＹＥＳ」と言ったのだから、賞賛されて然《しか》りだと思っていたのだが、彼は違う視点があるようだ。

（ん？　何をコミュニケートしてるかって？「ＹＥＳ」って言っただろう！）

ハワードは、

「メッセージのあとには必ず（LOVE）か（FUCK YOU）が括弧に入って付いている」

と言った。

確かにそうだと思う。「その言い方だったらかえって『ＮＯ』と言ってくれよ」という「ＹＥＳ」は組織のなかでよく見る。

言葉そのものも重要だが、その裏に流れているコンテキスト（流れ、雰囲気、行動背景）が、相手がその言葉から受ける「意味」を決定づける。

すごい会議をするようになってから、僕らは、頻繁に、「お祝い」をすることにした。

日々「砂漠に水を撒いている」ので、「お祝い」をすると前進していることが確認できる。

ほんのちょっとしたことで楽しいイベントは実現できる。五〇ドルぐらい出して、アイスクリームのバケツのようなデカいやつに入っているのを二、三個買ってきて、三〇分ほどアイスクリーム・パーティをやったり。ときには、オフィスの近くにいたホットドッグのスタンドを連れてきて（エレベーターになかなか屋台が入らず苦労した）、「ホットドッグ食べ放題パーティ」をやったり。みんなはホットドッグをほおばりながら、屋台を一六階にあるオフィスに連れてきた僕らを「狂ってる！」と褒めてくれた。

みんなも楽しそうだったし、僕も楽しんだ。

どうにかこうにか新製品の発表をし、そこそこの顧客がついた。

そのころには社員は六〇人になっていて、月に経費だけで五〇〇〇万円はかかっていた。投資家から次のステージに行くための資金集めをしていたのだが、なかなか思うように進んでいない。銀行の残高もそんなにはなかった。

このままでいくと、いろんな支払いに問題が出てくる。そこで僕らは緊急ミーティングをした。

「これはキャラクターをつくるまたとないチャンスだ」

と誰かが言った。

会社持ちの駐車料金や、スポーツクラブ代といった補助を一時的にストップしたり、各担当は業者に支払いを待ってもらえるものは待ってもらうように交渉してもらう必要があるのだが、「これは確かにピンチだが、せっかくだから盛り上げよう！」ということになった。

一時的なコスト削減の発表を全社員を集めて行った。

最後に、「一時的にみんなにはいろんな苦労をしてもらうが、最後には必ず勝利をおさめる！」としめくくり、みんなで「ガズーバ！」と社名を叫んだ。

優秀な人材がひっぱりだこのシリコンバレーだから、二、三人は辞めるかもしれないと覚悟していたが、退職者は一人も出なかった。

新サービスをリリースした夜の打ち上げパーティで、プログラマーのエドワードが、「この体験はロマンティックだった」と言った。週末には電話がかかってくるし、夜帰ろうとすると「リリースするまで帰るな」とか言われ頭にきたと、彼は言う。

でもこの困難な環境のなかで困難な目的を達成するなんて、「ロマンティックじゃないか！」というわけだ。

僕はこの言葉が気に入り、困難な状況で前進している場面に遭遇すると「ロマンティック」と感じるようになった。

エピローグ

僕たちに起こったこと

「会議」のその後

二〇〇一年冬。

新サイトリリースの成功をうけて、一〇億円ほどの追加投資を得ることができた。

半年前の僕ら（あと数ヶ月で金がなくなる）から見れば、なにかが大きく変わっていた。

それはいま置かれている立場の違いもあるが、僕ら自身が大きく変わっていた。

すごい会議のやり方を始めてから、初めての投資家を含む社外取締役をやったとき、投資家の一人は

「おまえらになにが起こったんだ？」（今までと違って、イケてるじゃん！）

と言った。

僕もアンディーも、なにが起こったかよくわかっていた。

会議での僕らの話し方であり、聞き方が変わっていた。

問題の解決の仕方が変わっていた。

意思決定の方法が明確になっていた。

短期的で明確で共有共感のできる目標があった。

各自がなにをするのかがはっきりわかっていた。

命令権を持たない部署への無茶なリクエストができるようになっていた。

約束が尊重されるようになっていた。

会議という場所でスタートしたのだが、会社全体が短期間に進化するという体験をしたのだ。

その後、僕たちの会社は、コラボリシス社に買収される道を選んだ。

二〇〇一年に、僕は同社を退職し、日本でシリコンバレー時代の起業のドタバタをネタに講演をしていた。

当然出てくるのはハワードと経験した「すごい会議」のことだ。講演が終わると、多くの経営者から「こんどはあなたが、それをやれば？」と言われた。

「すごい成果」を求めて

二〇〇五年春、東京。

渋谷にある急成長中のＩＴ企業の会議室。会議初日は微妙な緊張感に満ちている。

会議室には、社長と執行役員が六名。そしてコーチの僕。

社長以外の参加者は、僕と初対面で、僕とどう接すればいいのかわからずに、距離をおいている。

緊張しているのはこっちも同じだ。これから九〇日間、そして初日の今日、何が起こるか予測はできないのだ。

過去ほぼ倍々で成長してきた彼らは、次のレベルの成功——組織として継続的に成長するしくみ、そして、それに伴う「すごい成果」を手に入れようとしている。

すごい成果を得ようとすると、高い目標を立てたことにより、確実に解決策の見えない問題にぶちあたる。彼らも例外ではないし、それはコーチをする僕にとっても同じだ。

一見無茶な目標を立て、それに向けてロマンティックにビジネスをしているチーム……。正直とてもうらやましい。

これから三ヶ月間、僕がそうであったように、彼らもいろいろな問題に出合い、それらを解決することによって前進していくだろう。

その過程で僕自身のコーチとしての力や覚悟がたびたびテストされるだろう。

このロマンスは僕のロマンスでもあるのだ。

新版によせて

「すごい会議」が出版されてからもう19年が経ちました。その間にこの書籍を読んで実際にやってみて、「すごいことが起こった」といった報告をいただいたり、また、これを自分の生業にしたいと言ってくれる方々が現れたり、当時とは僕のやっていることも大きく変わりました。

当時は、僕自身が企業の現場に出向き、すごい会議を使って、お客様と問題と格闘していました。今は、全部で二十人となったすごい会議のメンバー達と（２００５年の出版の後に会社名を株式会社すごい会議に変えました）、日々どうやったらもっとうまく問題が解決するのか格闘するのが僕の生業になりました。

先日、すごい会議のホームページのメンバー紹介の順番を並べ替えよう、という話になった時に、何をもって順番を決めるかのディスカッションがありました。お客様インパクト（売上の前年対比の平均）、コンサルタントとしての売上、「年功」等どれがいいだろうかと話し合ったのです。そこで、試しに、各自の生涯売上を出してみようということになり、それを合計したら、１００億円をゆうに超えていました。これは僕も驚きで（まあ、毎年の売上金額を合計すればそうなるのですが）、あー、２００５年の頃は、僕一人でやっていたすごい会議が、今では多くの企業やそのメンバーの方々に使っていただいているのだと感じ、嬉しくなりました（その一週間は、妻を含むいろんな人にその話をしました）。

すごい会議は、局所的にうまく行く方法ではなく、多くの場合（もちろん全てではありません）に、その中核メンバーが意図をはっきりさせて、その意図の前に現れる障害をチームで解決する方法として普遍的に使えていると僕は認識しています。

ということはですよ、読者のあなた、あなたの組織で、これがうまく行かないはずがない！　と僕はこれを書きながら思っています。

僕が20年以上前に偶然出会ったハワード（毎年一月に日本に来ては僕らの一年の目標設定のコーチングをしてくれています）から得た方法が、こんな形で広がるとは、受けていた当時は想像もしていませんでした。

すごい会議が皆さんの、目標設定や問題解決にさらに役立つことを願って。

２０２４年1月　大橋禅太郎

[付録]すごい会議のやり方

この本に期待することは何ですか

日付

名前

［付録］すごい会議のやり方　目次

最初の質問

いま、うまくいっている
ことはなにか?

組織でもチームでも、全員に「イケル」感じがしていると、高い成果を生み出しやすい。逆に「クライ」感じがしていると、成果を出すのにものすごく余分なエネルギーを使うのです。

「イケル」感じを作れるかどうかは、あなた自身がそれを発しているかどうかにかかっています。まずは自分自身の周り(ビジネスでも、そうでなくても)の、うまくいっていることを書き出します。

そして、参加メンバーにも、それを書き出してもらいます。

なかには、「うまくいっていることはない」と言う人(たぶん不機嫌な顔で)がいるかもしれませんが、そのときは「『部屋の電気がついている』ってぐらいのことまでかまわないので3つ書いてください」とリクエストします。

「うまくいっていること」をシェアすることで、いままで見えていなかった「うまくいっていること」が見えてきます。

「イケル」感じのチームはより高い目標にコミットしたり、問題が発生したときに、力強く反応できます。

「イケル」感じのムードをつくる

手順1 自分自身のうまくいっていることを紙に3つ以上書く

手順2 会議の参加者に「うまくいっていること」を3つ以上書いてもらい、それを発表してから会議を始める

日付　　　　　　　　　　名前

質問

達成したいことはなにか？

Put a stake on the ground.（地面に杭を打て）

西部開拓の時代、土地はそこに杭を立てた者が所有することができました。男たちは朝、その町のある場所に集合します。そして、ピストルの合図と共に皆が一斉にスタートするのです。自分がモノにしたい区画に馬で走って行き、そこに自分の旗を立てる。もちろん、参加者全員分の区画数が用意されているわけではありません。各区画に一番先に到着した人間が、「ここは俺の土地だ！」と杭を打ったのです。

会議も同じです。

「2007年3月31日までに

33%のマーケットシェアを勝ち得ることにより、

業界のナンバーワンカンパニーになる」

——といった目印の杭があると組織は動きやすい。

「達成したいことはなにか？」の質問は、あなたの意思への質問であり、なにが「可能」かというあなたのイマジネーションへのチャレンジです。

答えは5秒で書いてみます。

5秒で書いても1週間悩んで書いても、86%答えは同じです。

とにかく、書いてから考える。あとでよりよい答えが出たら、そのとき変えればいい。ピストルの合図はすでに鳴っています。

まずは自分の経営の意思をつくる

手順3「X年Y月Z日までに～（測定可能なこと）を達成することによって～（精神的意味合い）となる」という文章を5秒で書く

日付　名前

column

議題の書き方について

会議であれば議題を掲げ、それについて参加者が考え、討議するのが前提ですが、実は、その議題について参加者はそれほど真剣に考えていないという場合が少なくありません。

そこで、議題の出し方を工夫します。

- 「昨日の売り上げの報告」
- 「新宿新店舗について」
- 「最近の顧客クレームについて」

以上のような議題を、すべて、「どのようにすれば」で始まるクイズ形式に書き換えるのです。

- どのようにすれば、今月の売り上げを確実に上げることができるだろうか？
- どのようにすれば新宿新店舗を確実に成功させることができるだろうか？
- どのようにすれば、トラブルがあった場合でも、最高の対応によって、顧客から愛される会社へとわれわれは成長できるか？

クイズ番組は、視聴者が答えを出してもなにも賞金はもらえないのに、視聴者が一生懸命考える仕組みになっています。

そのクイズ番組等でやっている手を、会議で使うのです。

ただし、「なぜ」で始まる質問ではうまくいきません。そうすると、担当者から「できない理由」が返ってきてしまいます。

- なぜ、売り上げが上がらないのか
- なぜ、新店舗がうまくいかないのか
- なぜ、お客のクレームが絶えないのか

これでは参加者は「責められている気分」を味わうだけで、気持ちが「問題解決」に向きません。

「なぜ」を「どのようにすれば」に書き換えてみるだけで、どんな難題も、なぜか「解決」できそうな問題に変わります。

参加者が、議題の答えを、こちらが頼んでもいないのに考えるようになれば、(クイズ番組のように)儲かります！

質問

この会議で、
達成したいことはなにか?

実は多くの会議の参加者は「呼ばれたから来ている」ことが多い。つまり、それは自らの意見を持っていないということです。

参加者に「会議への期待」を書いてもらうことで、それをすでに持っている人はそれが明確になるし、なかった人はその場で創れる。人は自ら創った目標は達成しようという意欲を持つ傾向があります。さて、各自がその会議への期待がはっきりしたら、それを得るためのステップにすすみます。つまり、その期待を会議が終わった時点で得られるかどうかの鍵を握っているのは誰かを考える。

①司会者?

②社長?(部長? グループリーダー?)

③自分自身(各自?)

下手をすると、参加者は、司会者やリーダーにその責任があると思っています(実際にそれは否定できない)。しかし、それでは「普通の会議」のやり方です。

参加者がどういう気持ちで会議に参加するほうがうまくいくだろうか?
——そこを考えてもらうのが「すごい会議」のやり方です。
「リーダーが一番影響を与える」or「自分自身が一番影響を与える」。どっちの気持ちで参加したほうがうまくいくかを会議のメンバーに質問する。

会議に出るのは、呼ばれたから？

手順4 この会議で得たい成果を紙に書いて発表してもらう

日付　　　　　　　　名前

column
書いてから発表する

すごい会議では、全員が、まず自分の考えを紙に書いてから、その書いたことを順番に発表していくというのを基本にしています。

書いてから話すメリットとして、以下のようなことが挙げられます。

- 話を短くまとめることができる
- 自分の考えを書くことによって、再認識できる
- 記録として残せる

それよりなにより、「書いているときは、ほかの参加者のオピニオン（意見）が聞こえない」ということがあります。

紙に書かずに、ただ順番に発表していくと、本当は「自分の提案」があったのに、勝手に自分で修正して、「だれかの提案」に重ねてしまうことがよくあります。

書いてから話すとほかの人に左右されない意見を発表することができます。

さて、書いたものを発表するときのコツは以下の通り。

書くとき：

①自分のホンネを書く

②箇条書きでスピーディーに書く（時々、おいおい、エッセイ書き始めている！　という人がいます）

発表するとき：

③「〜なんですけどー」とか前提を付けずに発表する

④周りの意見と違っても、しらっと読んで発表する

⑤書いたやつを変えずにそのまま読む

人の発表を聞くとき：

⑥自分から見ると「ん？」というアイデアも、尊重して聞く

⑦自分の発表の番がくるまで、自分の発表のことが気になりドキドキするのではなく、人の話を聞く

⑧自分の発表が終わったら、人の話を聞く

この8つのポイントに注意するとうまくいきます。

質問
誰を会議に呼ぶか？

その会議が成功するかどうかは、準備段階で8割決まっています。望む成果がはっきりしているか？ それを得るために、一番効果的と思えるメンバーだけが参加しているか？

多くの会議の場合、「呼びやすい」メンバーを集めてしまいます。得たい成果を得るためには、誰を会議に招待するか、誰を会議に招待しないかを明確にします。

ここでも、あなたの会議成功のための「覚悟」が試されます。

望むビジネスの成果を得るのに、「何をマネージすればうまくいくか」を6つほど書き出し、「それをマネージするには誰を呼べばうまくいくか」を書き出します。

参加メンバーが決まったら、自分自身が会議で得たい成果、そして参加者に何を期待するかを明確にしたメールを参加者に「招待状」として送ります。

ドリームチームをつくる

手順5 望む成果を得るために、マネージすべきことをリストアップし、誰を呼べば一番うまくいくかのリストをつくり、参加者への期待を明確にして招待する

日付　　　　　　　　　　　　　　名前

column

会議室のセットアップ

会議は以下のようにセットアップすると、成果を出しやすくなります。

①会議のリーダーは、お誕生日席に座る

ゴッドファーザーの席。参加者全員にアイコンタクトできる席とそうでない席では、最後の「キメ」の部分で差が出ます。

②4時間以上の会議では、炭水化物（クッキーなど）を用意する

脳も、他のマシーンと同じように、燃料が足りなくなると、回りにくくなります。

③やばい話ができるぐらいのプライバシーがキープできる

やばい話ができる会議室は、問題の体質を見つけるのに効き目があります。

④携帯電話はオフ（マナーモードでなく）にしておく

マナーモードだったとしても、「着信」があると、意識がそちらに行ってしまいます。会議で成果を出すのが「それほど重要であること」を告げ、会議参加者に「参加のコミットメント」を確実にします。

⑤会議室の入り口にファイヤーウォールを設置する

どうしても、会議メンバーに「緊急伝言」が入ってくることがあります。会

議室の入り口に「この会議のメンバーへのメッセージは、ここに貼っておいてください。休み時間に確認します」とポストイットを数枚貼っておくと、会議室のガードマンになってくれます。

⑥巨大ポストイットを用意する

縦76.2cm×横63.4cmの巨大ポストイット（Amazonで入手可能）。1セット8千円するポストイットですが、意見を高速で書き出し、まとめていくのに役に立ちます。

質問
いま直面している問題はなにか?

なんらかの障害物があるがゆえに、あなたが欲しい達成がストップされていたり、望むほどのスピードが得られていないとしたら、それが何かを書き出します。

例:「会社が面白くない」

これを書き出したら、「どのようにすれば〜」で始まるクイズに書き換えます。

例:「どのようにすれば会社が面白くなるだろうか?」

多くの場合、意識は問題の理由(例「なぜ会社が面白くないか」)に向けられています。当事者にその質問をしても、核心の理由は返ってこないことが多いのです。

まずはクイズのかたちにしてみると、答えの輪郭が見えてきます。

余裕があったら、もっと面白いクイズにすると、(誰も頼んでいないのに)より一生懸命答えを考えます。

例:「どのようにすれば
　　渋谷一魅力的な会社を築けるだろうか?」

「どのようにすれば」のかたちに置き換えてみよう

手順6 達成の障害となっている問題や懸念を書き出し、それらを「どのようにすれば〜」のかたちに書き換える

日付　　　　　　　　　　　　名前

column
会議に必要な燃料補給

会議中は口から言葉を出し(口から出力)、耳から人の言っていることを入れ(耳へ入力)、目で、雰囲気を感じ取る(目に入力)。そう考えると、口は出す一方なのか。もう一つ、口には重要な「入力装置」としての任務があります。

脳味噌は、酸素とグルコースをガソリンに、そして他のもろもろの脳内物質をオイルとして使っています。そこで、4時間以上の会議には、かるくつまめる、クッキーなどの炭水化物の入ったスナックを手の届くところに置いておくのがいい。脳がしっかりまわり、空腹によるケンカも最小化できます。

ところで、「シュガーピル」という薬をご存じですか。これは、飲んだ20%以上の人が、頭痛、下痢、腹痛、めまい、不快感等を味わう、というのですが、実は砂糖が少量だけ入った、ニセモノの薬なのです。

新薬の臨床実験で、その薬効を確かめるために、本物の薬と、シュガーピル(プラシーボ)を2つのグループに服用させます。

薬を飲まされた人は、「(ヤバイかもしれない)新薬」なのか、「(無害な)シュガーピル」なのか知らされていないので、シュガーピルを飲んだ人も、「おいおい、ヤバイ薬飲んじゃったかも。おっと案の定頭痛がしてきた……」となるわけです。それだけ人間は暗示にかかりやすい動物であるということです。

さて、「長い会議には炭水化物」が暗示かどうかはわかりませんが、クッキー代の投資で脳がより回る可能性があるならば、やってみるべきだ、とクッキー好きな僕は強く思います。

ところで、クッキーのついでに、コーヒーも、と考えるのは、悪くないアイデアです。特に昼食後の会議、PM3時頃、コーヒーが欲しくなる。ノープロブレム、コーヒー飲んで気分を変えましょう！　しかし、コーヒーを飲むと、程度の差こそあれ興奮状態になりやすい。これは会議をやるうえで、プラスにもなるし、マイナスにもなります。

プラス面はどんよりした会議にブースト（士気を高める）を与える点。マイナス面はそのブーストからくる反動だと一般的に言われていますが、もう一つ、あまり知られていない事実があります。

コーヒーで興奮した状態では、「（精神的な）痛みが感じ難くなる」のです。それによって、より大きなコミットメントをしたり、人により大きなリクエストができるようになります。

しかし、いざ席に戻ってみたり、2日後に「痛みを感じないグループ」が作ったプランを目の前にすると、「なーんかイヤ」になってしまうことがあるのです。

コーヒーを飲まなくても、あるとき急にやる気になって「TO DO LIST」にいろいろ書き込むことがある瞬間を経験している人は多いと思います。が、1週間後にそれを見ると、書いたときほどの情熱を持っているケースは少ない。「熱」はイイ面とキツイ面をもっている。コーヒーも「一時的なやる気」も、バランスよく使うとうまくいきます。

質問

言えない問題はなにか？

簡単に答えられない質問に答えることができると、それだけで問題解決へ一歩前進します。

言える問題よりも、言えない問題のほうが、問題解決にとっては価値が高い。

実際、「言えない問題」が解決しないと、「いま直面している問題」や、それに似たことは起こりつづけます。

逆に、「言えない問題」が解決すると、「直面している問題」の７割は、結果として解決されます。

組織がより高い成果を出せるかどうかは、あなた自身の覚悟が求められます。

答えられないことに答えること、あなたのその覚悟に、この質問はチャレンジしているのです。

タブーを破れ

手順7「言えない問題はなにか」を書いてから、「どのようにすれば～」のかたちに書き換える

日付　　　　　　　　　　　　　　　名前

質問
あなた自身の ひどい真実はなにか？

「言えない問題」も、「いま直面している問題」も、実は、この「自分のひどい真実」が解決しないと、前に進みにくい。

しかし、自分でそれを認めてしまえば、いまからすぐにでも解決の道を歩め、それによって、いままで書いた問題が解決しやすくなります。

「自分のひどい真実」とは、悪いことではなく、あなたのキャラクターをつくっていることかもしれませんし、それがあったことによって、あなたをここまで成長させてくれた原動力かもしれません。

たとえば、「コンプレックスが強い」。

そのコンプレックスがあったからこそ、他の人に認めてもらうために、いままで頑張ってこられたということもあります。

ただ、それによって3つぐらい問題が起きているはずです。

それらの問題をこのチャンスにどうにかすると、達成したいこととの距離が一気に縮まります。

実はキャラクター

手順8「あなた自身のひどい真実はなにか」の答えを書いて発表してもらう

日付　　　　　　　　　　　　　　　　名前

column
提案のない意見

一般的な会議では90%の時間が、単なるコメントの交換、または単なるスピーチで終ります。本人は建設的な意見を言っているように聞こえる「まずはCSをあげよう」「そのプランはXといった問題があるから実行が難しいのでは」という、一見もっともらしい発言が実は「会議」をぶちこわしているのです。

会議では「提案」「リクエスト」「明確化のための質問」以外の発言は、99%無駄な発言です。

どうしてもスピーチをしたい人は、1分以内で終わらせてもらう。

リクエストには、①誰が、②特定の日付と時間、③そして、なにをもって成功とするのかの記述がうまくいきます。

あまりに当たり前のことですが、98%のリクエストでこれができていないのです。

また、「リクエストする側とされる側では、望む成果物を得るのにどちらが鍵を持っているか」も大切です。

たとえば、僕があなたに、「毎朝僕の靴をみがいてくれますか？」と頼んだら、よっぽどの厳しい上下関係がない限り、あなたの答えはNOだろうし、職務上の義務からやったとしても、ピカピカになるとは思えない。

ではどうすれば、相手から情熱のこもったYESを得られるか？　そのコントロールレバーはリクエストする側が握っています。

1. インパクト

相手にとってどんなメリットがあるのかを明確にする。

2. 作業でなく、すばらしい成果を求める

作業を求められて喜ぶ人間は一般的に少ない。しかし素晴らしい成果を求められると興奮する人間は少なくない。

3. コミットメント

リクエストする側が、お互いのメリットのために（たとえば、プロジェクトの成功のために）、どれだけコミットしているかが、YESをもらうおおきなカギとなります。

質問

これからの6〜12ヶ月で、このチームが達成する成果はなにか？（1個だけ書く）

組織で目標を立てる一番のメリットは、目標を立てなければ起こらなかったことの実現可能性が最大化することです。

人が何かを創り出すとき、それを自分のものとして所有し、保護し、育て、保ち、遂行する傾向があります。

「目標」をチームメンバー全員で創ると、所有感が生まれ、遂行しやすくなるのです。

目標の1行目は6〜12ヶ月後の日付にします。3年後の目標を立てても、今週はなにもしない。1ヶ月後の目標ではやれることが限られます。そして2行目は、「売り上げ10億円」とか「利益2億円」といった具体的に測定可能なことを入れます。3行目は、それがこのチームにとってどんな意味を持つか、たとえば、「日本一のマネジメントコーチとして認められる」とか「世界唯一のサービスカンパニーとしてスタートの準備が整う」といった具合に、チームメンバーにとって意味があることであればなんでもかまいません。

文章ができあがり、全員に合意されたら、一番上に「We Promise.（われわれは以下のことを約束します）」と書きます。単なるスローガンではなく、「約束」であることを確認します。この約束された文章を「戦略的フォーカス」と呼びます。

いまのやり方でできる目標は、目標と呼ばない

手順9「戦略的フォーカス」を参加メンバー全員で創り、合意し、約束する

日付　　　　　　　　　　　　名前

column

意思決定について

「意思決定」にはいくつかの要素があります。

①「唯一正しい答え」はない

②明確であればあるほどよい

③不確定要素が含まれるので、意思決定をした時点ではそれがいいか悪いかはわからない（不確定要素がない場合は「意思決定」ではなく「選択」）

一昔前であれば、できるだけデータを集めて不確定要素を少なくし、（不確実な）「意思決定」の数を少なくし、できるだけ「選択」にするアプローチでもうまくいったかもしれません。しかし、環境がめまぐるしく変わり、過去のデータがあてにならなくなってくると、チームに求められるのは「曖昧さの中で前進する能力」です。

一部の経営メンバーは、「曖昧さの中で前進する能力」を能力と考えず、「やってはいけないこと」と考えますが、ただ確実に言えるのは、この能力が強いチームは新たな環境で成長を上げる傾向が高いのです。

組織として「曖昧さの中で前進する能力」を1ステップ上げるには、会議の中で、全員が合意しなかったときに、どうやって意思決定をするかの手順を明確に合意しておくことです。

たとえば全員が合意できなかった場合：

1. 意思決定者（上級管理職であることが多い）が意思決定をする前に、参加メン

   バーは、自分がベストと思うアイデアを意思決定者に提示する
2. 1の手順をふんで、意思決定者が意思決定をしたら、自分のアイデアが採用されなかったとしても、された意思決定が(結果として)正しくなるようにサポートし行動を起こす

多くの場合、意思決定後にメンバーが問題をブリブリ指摘します。そうではなく、最初にその人のアイデアを提示してもらう。意思決定が上手な組織は、そこを押さえているのです。

質問
戦略的フォーカスを達成するのに、必要不可欠な担当分野はなにか？

合意されていない期待は、怒りや悲しみに変わることが多い。たとえば同僚、上司、部下、外注先。自分が期待していても、相手は、「それは自分の仕事じゃない」と認識しているかもしれません。決して簡単ではない組織の目標を達成するのに、各自が自分になにが期待されているのかを最初に明らかにすると、いくつかのご利益があります。

①目標達成するのに、各自が、自分がなにをすればいいのかが見えてくる

②問題が発生したときに、誰がイニシアチブを取ればいいのかがわかる

③サポートが必要なときに誰にリクエストすればいいのかが明確になる

これが明確になり、合意されるだけでも、すごい差が生まれるのです。

期待を合意する

手順10 戦略的フォーカスにニックネームを付ける。それを達成するのに、必要不可欠な担当分野を4程度決める。グループで行う場合は、全員が別々にこれを書き込み、その後に、全員で1つの図にまとめる

どんな担当分野が必要かを全員が考えることで、単なる現行の担当分野以外でどんなことが必要かが見えてくる

それができたら、戦略的フォーカスを達成するのに、一番効果的な担当者を決める

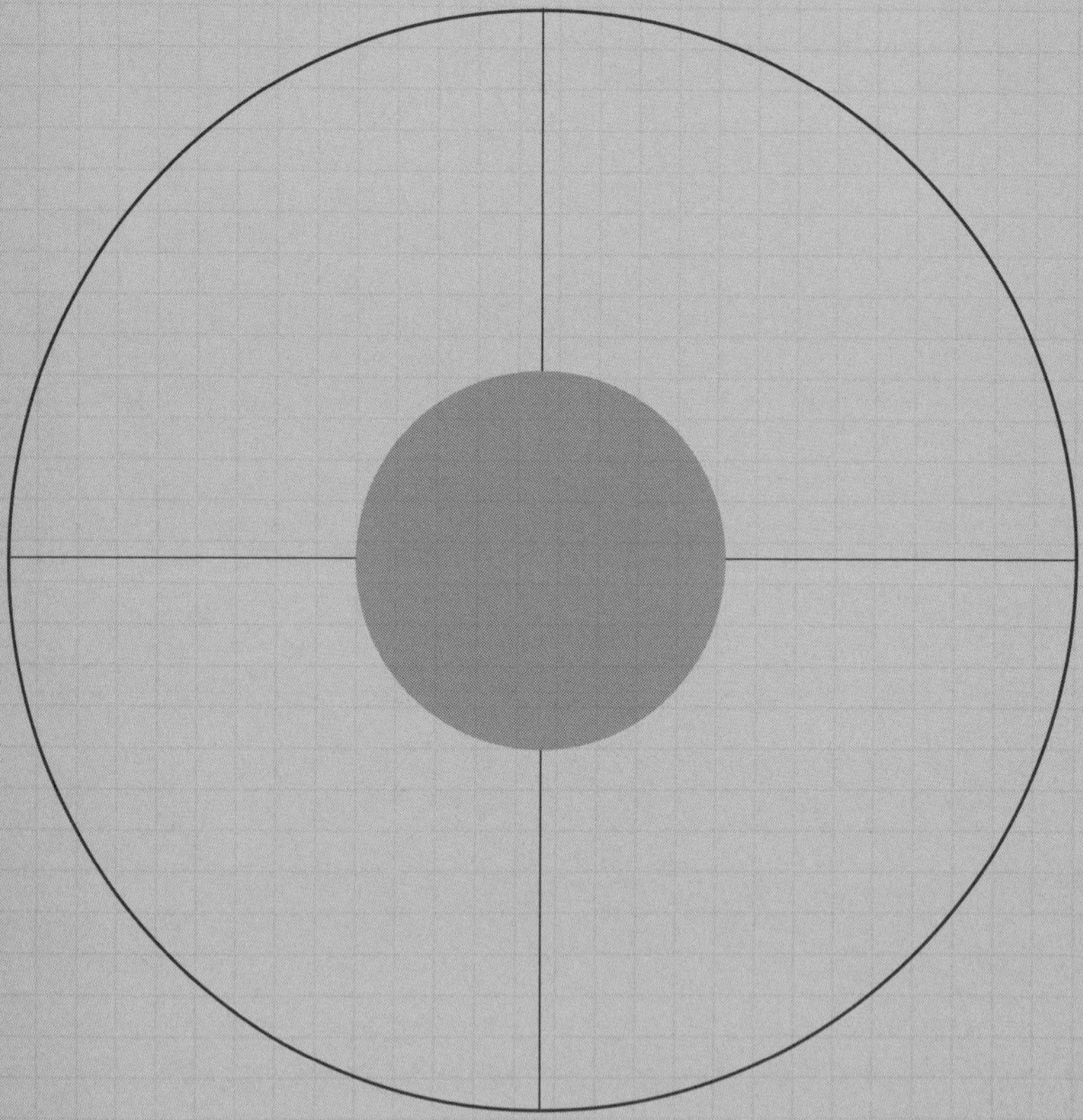

日付　名前

column
いつもオンタイム

約束で面白いのは、約束をしたときと、それを実行するときでは、一番やりたいことが違うということです。

たとえば、「これから休憩を取り10分後にスタートします」。——これは僕にとっては「10分後に会議を再びスタートする」という約束です。休憩をスタートしたときは、10分後に全員が戻ると思っています。ところが、10分後にきっちりスタートするグループは少ない。1－2分の遅れは遅れとして認識されていないことを多々目にします。これは僕にしてみれば、「約束が破られている」わけで、非常に気分が悪い。

というのも、うまく会議が進めば、最後には、誰がいつまでに、何々しますというアクション群が約束されます（アクションを起こさなければ前進しないので）。

ところが、10分後にスタートするという簡単な約束が守れないようでは、会議で決められた約束が1－2日遅れても、平気な顔をしているのではないかと疑ってしまうのです。

ところで、組織における怒りや悲しみの90％は「約束の仕様が不充分」なために発生します。期日や仕事の質や量が、受け手にとって不充分なために、怒りや悲しみが起きるのです。

そこで、そうした怒りや悲しみを起こさないために、期日や、その仕事の質、量を明示するのです。

たとえば、「8月15日までにDMを1000通打ちます」というコミットメント。

DMを打つだけなら、誰にもできます。40頁のコミットメント・リストにある「メジャーメント」は、そのコミットメントがうまくいったときに、どんな成

果が上がるのかというものです。

上記の例で言えば、「8月30日までにアプローチ可能な見込み顧客を50件つくります」というメジャーメントのための、コミットメントになるわけです。

担当者からすれば、「1000通DMを出す」と約束するのと、「50件の見込み顧客をゲットする」と約束するのでは、頭痛が100倍違います。でも、ポイントはまさに、そこにあります。

ビジネスで重要なのはアクティビティではなく、アクティビティにどんな差を出すことによって、願う成果を得るかなのです。

約束を尊重する。すなわち、約束を実行するときがきたら、約束したとおりに実行する。

これができるかどうかが、組織に大きな差をもたらします。

質問

それぞれの担当者が、いつまでになにを達成すれば、戦略的フォーカスが確実に達成されるのか？

担当が決まったら、それぞれが、自分の担当分野でどんな達成をすれば、戦略的フォーカスが達成されるかを考え、グループに対して約束をします。このときにヒントになるのが、

1. 戦略的フォーカス
2. 棚卸しした問題群
3. P.37に書かれたバームクーヘンに自分が期待されていること

以上の3つです。

もし戦略的フォーカスが簡単なものでなかったとしたら、ここでのチャレンジは、いかにパワフルなアクションの約束ができるか。無謀とも思える戦略的フォーカスが、数ヶ月後どうなっているかは、実はここにかかっているのです。

そして、それらの約束を実際に守るために、「誰が」「いつまでに」「なにをして」「どんな成果を出すか」を一覧にして、最低1週間に一度顔を合わせてチェックするしくみをつくってとくことです。これを「コミットメント・リスト」と呼びます。

コミットメント・リストをつくる

手順11 コミットメント・リストに各担当者のコミットメントを記入する。コミットメントの進捗を最低1週間に一度チェックするしくみを合意しておく（「毎週月曜日8AM～15分ミーティングを行う」等）

コミットメント・リスト

ID	コミットメント	担当者	期日	依存	状況	メジャーメント

日付　　　　　　　　　　　　名前

最後の質問

いまから1ヶ月以内に、自分の起こす一番大きな、インパクトはなにか？

会議が終わった後にエネルギーに満ちている場合と、逆にエネルギーが減っている場合があります。

①明確な目標が合意され
②自分になにが期待されるかが明確になり
③自ら宣言した約束がある

これがあると、会議室を出てアクションを起こしたくなる。

最後の質問は、グループメンバーへの「チャレンジに必要なエネルギー」をプレゼントするための質問なのです。

人はチャレンジされたがっている

手順12「いまから1ヶ月以内に、自分の起こす一番大きな、インパクトはなにか?」を各自が書いて発表する

日付　　　　　　　　　　　　　　　名前

column
問題が起こったらどうするか

高い目標を掲げたプロジェクトは100%、一見このままでは解決できない問題にぶちあたります。

さまざまな問題解決方法がありますが、重要なのは、組織として、解決策の見えない問題が起きたときにどうするかの手順が合意されていることです。

その手順を次頁の「問題解決シート」にまとめました。戦略的フォーカスが達成されていく過程で問題が起きたら使ってみてください。

これは個人で使ってもいいし、グループで会議のときに全員でやっても効果的です。

問題解決シート

1. 問題、懸念、望ましくない状況

2. 理想の状態を想像し、「どのようにすれば～」の文章に書き換える

3. 現状：問題、懸念、望ましくない状況に関してどんな事実やデータがあるか。なにが起きているか？ どんなことが感じられるか？

4. どんな解決策の可能性があるか？

5. いつまでにどれをやるか決める

column

司会がどうまとめていいかわからない

社内で「すごい会議」の司会を任された方から、「どうまとめていいのかわからない」と言われることがあります。「すごい会議」の司会の仕事が普通の会議と違うのは、まとめることではありません。まず、現在のフェーズを確認します。意見を集めるフェーズなのか、より意思決定がしやすい形に意見をグルーピングしている最中なのか。それとも、意思決定のフェーズなのか。このうちのどれなのかを認識して、実行することです。なので、「まとめる」という仕事はそもそも存在しないとわかります。

本書が推奨する方法のひとつは、ポストイットを用いることです。多人数から意見を集めるときは、全員にポストイットに書いてもらいます。次にそれを「読み上げて」、その情報を元になんらかの意思決定をします。そのうちのどれかを解決策として実行する場合、そのポストイットはホワイトボードに貼り付けます。2分で終わります。

集まったポストイットを意思決定者がレビューします。それだけでは意思決定できない場合は、決められた時間でフリーディスカッションを。5分以内に終わらせます。5分後、「決められますか？」と言い、次のステップに進みます。

column

ひどい真実がひどくない

例えば、売上がなかなか伸びないという問題を解決しようとしたときに、問題解決に欠かせない事実をディスカッションすると、「競合の値付けが安すぎる」とか「営業マンの数が少ない」とか出てきがちです。でも本当は「みんな知ってるけど、この場ではとてもじゃないけど言えない」というような事実がある。例えば「うちの商品、自分だったら買わない」というような事実です。この種の事実を、僕らは「ひどい真実」と呼んでいます。

これがテーブルに乗らないと、「ひどい真実がひどくない」状態になり、無駄を生みます。つまり、商品そのものが改善されず、小手先の問題解決に走ろうとして、経営資源（人とかお金ね）が無駄に使われることになります。会議において、この「ひどい真実」を言えるかどうかが、問題解決の燃費を左右します。

さて、ではこれをどうテーブルの上に乗っけるか？　ここでも、ポストイットを用意し、こう言います。

「では、ひどい真実を一人一個ポストイットに書いてください、時間は1分で」。

1分しか与えられないと、複雑なことは書けません。そして「ひどい真実」は往々にしてシンプルです。ただし（とくに初回は）、このようにお願いしても「ひどい真実」を書かない、防衛本能が高すぎる方が時々います。それでも多くの場合は、数回やっているうちに「あー、それ言ってもいいの？」という雰囲気になって、「ひどい真実」を書くようになります。

column

ファシリテーターになるな！

僕のお客様のフランス人から、こう言われたことがあります。「あなたはファシリテーターではなく、ディフィシリエーターだ」と。

どういうことか。フランス語のファシル（facil,ラテン語由来）は「簡単」という意味です。つまり、簡単にする人。「だがゼンが来ると」、とお客様は言います。「ディフィシル（dificile）になるから、あなたはディフィシリエーターだ」。ちなみに、そんなフランス語はありません。ないのですが、意味的には通じます。何が言いたいかというと「すごい会議」をやる上で重要なのは、参加者が楽になることでなく、「あー、確かにそうだ、それやらんと進まんな！きついけどやるか！」というマインドをもたらすことなのです。

column
イシュー特定になにが効果的か

新人コーチと話をしていると、必ず出てくるのは「どうやってイシューを特定するのですか？」という質問です。僕らの流儀は、「それはわからないから、まずは意見を集めて、これと決めてみてください」という言い方で、とにかく作戦を動かしてみる。とにかく、動かしてみる。これができる組織であれば、いずれ（だいたい2〜6ヶ月）「あー、これをやれば問題が解決する」という勘所が見つかります。会議の場に、効果的な意思決定に必要な情報が揃っているのは例外と考えて臨みましょう（特定の業種に強いコンサルタントが解決策を持っていて、その人が会議に入っている場合は別ですが）。

では、どうやったらその意思決定に必要な情報が手に入るか？

まずはあまり考えずに（考えの元になる情報が足りないのだから）、その作戦を実行することについて合意して、その結果「事実としてどうなったか」を確認できるようにします。

たとえば再来店率を上げるために、まずは「初回来店から2週間でどれだけメッセージを送ったかだ。全員5通送る」と決めたとします。そうしたら、その作戦をメンバーが実行できるかどうかが組織の問題解決能力に大きく差を作ります。作戦を信じていない人がいても、その時点では関係ありません。1、2ヶ月やってみて、「あー、マイナスの影響の方が大きくて、当たり外れがあるな」とわかれば、また別の作戦を立てればいいのです。その時点では、お客さんなどから、初回に立てた作戦を実行していく上で貴

重なフィードバックが手に入ります。また、マーケットの現状（うまく行くと思った前提が成り立たないとか、思ったよりある部分は楽勝であるとか、例外的にこう言ったらうまく行ったとか）も手に入ります。フィードバックを踏まえた2回目の作戦は、1回目よりも精度が上がります。

column
発言のフォーマットが守られないケース

司会者を付けてうまくいかなかったら（終始コメントの交換で終わってしまったら）、司会者の組織上のランクを上げます。最後は副社長がやればうまくいきます。商業用の飛行機のほとんどはパイロットが2人搭乗しています。これは、チェック事項が多いといった理由もあるのですが、定められた手順を逸脱しないように、相互で確認しながら行動できる、ということです。

ですので、「すごい会議」をやろうとしたのですが、その手順を守ってもらえません！　という場合は、この“パイロット方式”をお勧めします。具体的には「次回から副社長にやってもらってください」とお伝えしています。それで解決するかどうかは場合によりますが、「この通りやってください」の迫力はかなり増します。

上記のように色々やれることはありますが、どこから手を付ければいいのでしょうか。

まずは以下の四つから始めてみてはいかがでしょう？

① ポストイットに書き出してから発表する

② 司会をつける

③ 会議の最初に「うまく行ってることは何か？」を書き出してもらい、発表する

④ 問題を「どのようにすれば～」の疑問文のフォーマットに書き直してからアプローチする。

ほか、効果的なメンバー設定としては、目標達成に直接影響を及ぼすアクション（コメントでなく）を起こす人しか呼ばない。多くの場合、2、3人減らした方がいいです。

column

小さな約束が破られていたら、そこから直す

1980年代のバンドVan Halenは、コンサートをする時に興行主と音響や照明に関し、事前にさまざまな要求を伝えてくることで知られていた。というのもバンドとしては、会場が気分よく設定されてないと、コンサートそのものが台無しになる可能性が高いと考えていた。その要求はロックスターらしくわがままだった。「控え室のトイレットペーパーはこのブランドのやつ」などなど。もしそれらが守られない場合はどうなったか？　興行主が費用を払った上で、バンドはコンサートには出演しないと言う。その分厚い契約書の40p目には、「控え室にはM&M'sのチョコを用意せよ。(警告：絶対に茶色は入れぬこと)」という記述があった。しかも、彼らが会場に到着した時にまずチェックするのは、控え室のM&M'sなのだ。一体なんのために？

一言でいえば、興行主の質が一目でわかるようにするためだ。M&M'sのチョコに茶色が入っていたとすると、これはまずいということになる。音響から照明まで、細かい部分を全部チェックしないと危ない。契約書を細かく読んでいないと判断できるからだ(もちろん興行主はその条項の目的は知らない)。

僕が司会をやる時にも、似たような手法を使う。「ホワイトボードには、新品のマーカーを、青、赤、黒の順番で右端に並べておいてください」と「会場のセットアップのお願い」に記載しておくのだ(これでバレちゃったから、今後は他の方法にしますが)。当日いざ会場に入って、ホワイトボードの右側を見れば、今日どれだけセットアップがうまくいっているかわかる。

なので、本書にある会場のセットアップは、舐めていると、ばれます。そ

のぐらい会議室のセットアップは重要ということ。ですが実際には、このような事前準備、お手紙、準備物、会議室のセットアップは重要視されていないことが多いです。

column

社長が意思決定者と司会を兼任してしまう

解決策1。あなたが社長、または部門長である場合は、あなたが「こいつ生意気だけど、信頼してる」と思える人（思いつかないなら社内のNo.2）に、こう伝えてみてください。

「皆の意見を取り入れた上で意思決定をしたい。なので、次のミーティングは本書の通りの司会方法でやってみてほしい。もし僕がスピーチを始めたら（絶対始めます！）、『社長、そのお話すごく魅力的です！　次回、時間がある時ゆっくり聞かせてください！（今は別の話しましょう）』と言ってくれ。もし意見を集める段階で、メンバーが話をしてる時に、遮って「それダメだろー」とか言ったら、「（その人の話を）最後まで聞いて、他のメンバーの意見も聞いてから意思決定に入るってことでいいですか？」と言ってくれ」と合意を取ります。

ここでのスピーチとは、意思決定、質問、提案、事実の提示、以外のすべてのこと。このスピーチがあなたの会議の98%の時間を使っています。

ヒント1: メンバーがあなたより能力が無いわけではなく、あなたでないだけ。見えている情報や経験も違う。何を「利益」と考えるかも違う。意見を聞いた上で意思決定できるようになると、風通しがよくなります。

ヒント2:「受け入れる」と「受け止める」の違いをもう一度理解する。「受け入れる」は、言っている意見に同意すること。「受け止める」は、同意はしていないけど、「尊重の意を持って聞いたよ！」が相手に伝わっていること。

ヒント3: あなたの会社(部門)は、「天皇制民主主義」(意思決定者が軍事以外の方法で事前に決められている。メンバーは意見を出す機会がある。その上で多数決ではなく、意思決定者の勘所で意思決定がなされる。天皇が好かれるかどうかは、その遂行の効果性と「かわいさ」(likeable)によって長期的には熟成されていく。短期的にはポピュラーではない意思決定は頻繁に求められるし)である。Likeableの方が遂行時に燃費がいい。

解決策2。あなたが社長でない場合。上記のやり方を社長に、「これ次回のミーティングで試して欲しいと言ったら激怒しますか?」と言います。(執筆時点では、「激怒するぜ!」と言った社長は発見されていない)で、誰がそれやるんだ?と言ったら、「僕ではいかがですか?」と答えます。

column
問題解決のアプローチ

さて、すごい会議をやってもやらなくても日々解決したい問題が起きます。その問題が達成の障害となるならば、個人として、または組織として以下のようにアプローチします。

Step 1.

解決したい問題を「どのようにすれば〜」で始まる疑問文に書き換えます。

組織でやっているなら、その疑問文そのものの質を上げるために、ここで二分ほど使って書き換えすることもできます(問題例:我々の提供しているカレーが美味しくない→疑問文への書き換え:どのようにすれば美味しいカレーになるか?→他の人の意見を聞く→「どのようにすれば」渋谷区一美味しいカレーになるか?)。

Step 2.

その問題に関する、事実(今回は「感情」も事実に入れます)だけを書き出します。

これ、他の人に見てもらうと、事実だけ書けてることは稀で、ほとんどの場合「意見」まみれになってるので試してみて!　例えば「我が社の営業は弱い」とか。事実は、「我が社の営業は七人である」、「昨年度の一人当たりの売り上げ平均は3,215万円であった」、「リピートオーダーの間隔は平均4.8年である」、「過去の顧客リストに購買日は記載されていない」など。これらが事実。

ちなみに、感情(あなたのこの行動で私は悲しんだ)は事実です。評価(あなたのこの

行動は効果的でない）は解釈です。

組織で起こる問題の、大雑把に言うと50%は、理屈ではなく感情に起因しています。で、この感情をテーブルに乗せることが、多くの組織で意外と実行されていない。そこで、感情をシェアしてみます。例えばある特定の状況において、特定の行為をされた時に、どう感じたか（今日の朝のミーティングで、あなたが15分遅れてきた、私はムカついた）をシェアするのです。この時に、「なんで遅れてきたの？」とか「もう遅れんなよー」と言うよりは、感情をシェアするほうが圧倒的に効くことが多いです。

さて、この問題解決方法の面白いところは、出てきた事実をまとめようとしたり、分析しようとしたりしないところです。うまくいけば、出した事実の組み合わせから最初の解決策が思いつく。（顧客リストの購買日を入れて、まずは過去4.3-4.9年前に買ったリストを作りそこに、前回の製品のアップデートモデルを提案する）。もしここで、「これだ！」と言う解決策が出てこなかったら、次のステップにいかず、「酷い真実はなんですか？」を書いてもらう。（「うちのシェフは美味しいと言っている」、「社長はカレー、月に一度しか食べない」etc）

うまくいくと、その、酷いやつをどうにかするのが最初の解決すべきところだとわかる。（とそれへのなんとなくの解決策（「シェフが味決めしない。それがやだったらやめてらう」「社長がカレー食べないようだったら会社たたむ」等）が見えてくる。

しかし、もしここで解決策が思いつきそうな事実が出てこなかったらどうするか？

これはもう9割、「あなたが市場の事実を十分知らない」というところに行き着きます。そのうえで、市場の事実を知りたいのであれば、まずは今出てきた事実の組み合わせから、どうにかして、最初の1〜2ヶ月やってみたくなるアイディアを出します。ただし、多分うまくいきません。なので、またこのステップ1から始めることになります。すると今度は、市場に新たな作戦でアプローチした結果として、市場の事実が前回より驚くほど集まっています。つまり、次のステップ3において、より現実に近い解決策が出てきます。

Step 3.

解決策を書き出す。多数いたら、書いたポストイットを読み上げ、ホワイトボードに貼り出す。

Step 4.

やることを意思決定者が決めて実行に移す。もちろんこの問題解決のStep 4は、使い勝手が今までと違います。ただ、大きな問題があるのでしたら、一度はこれを試してみて欲しいです。
この解決策がうまくいかなかったら、Step 1に戻ります。

すごい会議の手順

会議の前に

手順1 自分自身のうまくいっていることを紙に3つ以上書く

手順2 X年Y月Z日までに～（測定可能なこと）を達成することによって～（精神的意味合い）となる」という文章をまずは一人で5秒で書く

手順3 望む成果を得るために、マネージすべきことをリストアップし、誰を呼べば一番うまくいくかのリストをつくり、参加者への期待を明確にして招待する

会議スタート

手順4 会議の参加者に「うまくいってること」を3つ以上書いてもらい、それを発表してから会議を始める

手順5 この会議で得たい成果を紙に書いて発表してもらう

手順6 達成の障害となっている問題や懸念を書き出し、それらを「どのようにすれば～」の形に書き換える

手順7 「言えない問題はなにか」を書いてから、「どのようにすれば～」のかたちに書き換える

手順8 「あなた自身のひどい真実はなにか」の答えを書いて発表してもらう

手順9 「戦略的フォーカス」を参加メンバー全員で創り、合意し、約束する

手順10 戦略的フォーカスにニックネームを付ける。それを達成するのに、必要不可欠な担当分野を4程度決める。グループで行う場合は、全員が別々にこれを書き込み、その後に、全員で一つの図にまとめる。

どんな担当分野が必要かを全員が考えることで、単なる現行の担当分野以外で、どんなことが必要かが見えてくる。

それができたら、戦略的フォーカスを達成するのに、一番効果的な担当者を決める

手順11 コミットメント・リストに各担当者のコミットメントを記入する。コミットメントの進捗を最低1週間に一度チェックするしくみを合意しておく（「毎週月曜日8AM〜15分ミーティングを行う」等）

手順12 「いまから一ヶ月以内に、自分の起こす一番大きな、インパクトはなにか？」を各自が書いて発表する

この本で得られたことは何ですか

日付　　　　　　　　　　　　名前